SANGUE NEGRO

VOZES DA ÁFRICA

NOÉMIA DE SOUSA
SANGUE NEGRO

kapulana

São Paulo
2016

Copyright © 2001 Associação dos Escritores Moçambicanos (AEMO) – Moçambique
Copyright © 2011 Editora Marimbique – Moçambique
Copyright © 2016 Editora Kapulana Ltda. – Brasil

A editora optou por manter a ortografia original do texto, com inserção de notas explicativas sobre a grafia do Acordo Ortográfico da Língua Portuguesa de 1990.

Direção editorial: Rosana Morais Weg
Consultoria de conteúdo: Carmen Lucia Tindó Secco e Francisco Noa
Projeto gráfico e capa: Amanda de Azevedo
Lettering: Amanda de Azevedo
Ilustrações: Mariana Fujisawa

Dados Internacionais de Catalogação na Publicação (CIP)
(Câmara Brasileira do Livro, SP, Brasil)

Sousa, Noémia de, 1926-2002.
  Sangue negro / Noémia de Sousa. -- São Paulo : Editora Kapulana, 2016. -- (Série Vozes da África)

ISBN 978-85-68846-17-9

1. Literatura africana 2. Poesia moçambicana I. Título. II. Série.

16-07978   CDD-869.1

Índices para catálogo sistemático:
1. Poesia : Literatura moçambicana 869.1

2ª Reimpressão

2025

Reprodução proibida (Lei 9.610/98).
Todos os direitos desta edição reservados à Editora Kapulana Ltda.
editora@kapulana.com.br – www.kapulana.com.br

Apresentação 09

Prefácio

Noémia de Sousa, grande dama da poesia moçambicana
por Carmen Lucia Tindó Secco 11

Nossa voz

Nossa voz 26
Nossa irmã a lua 28
Súplica 30
Abri a porta, companheiros 32
Passe 34
Justificação 36

Biografia

Se me quiseres conhecer 40
Poema da infância distante 42
Shimani 46
Deixa passar o meu povo 48
Poema para um amor futuro 51
Poema 54
Se este poema fosse 56
Instantâneo 58

Munhuana 1951

Porquê 62
Canção fraterna 63
Negra 65

Irmãozinho negro tem um papagaio de papel ... 67
Lição ... 69
Patrão ... 70
Magaíça ... 73
Zampungana ... 75
Cais ... 77
Moças das docas ... 79
Apelo ... 83
Samba ... 85
O homem morreu na terra do algodão ... 88
Dia a dia ... 90

Livro de João

Poema ... 94
Descobrimento ... 98
Carta ... 99
Grito ... 101
Um dia ... 103
Poema de João ... 105

Sangue negro

Poesia, não venhas! ... 112
Solidão ... 114
Poema para Rui de Noronha ... 116
Godido ... 119
Poema ... 122
A Billie Holiday, cantora ... 123
Poema a Jorge Amado ... 125
Bayete ... 128
Sangue negro ... 129

Dispersos

Quero conhecer-te África 134
19 de outubro 136
A Mulher que ria à Vida e à Morte 138

Notas finais 140

Mensagens para Noémia – 2016 145

Textos de edições anteriores

2000 — *Noémia de Sousa: a metafísica do grito*
por Francisco Noa 169

2001 — *A mãe dos poetas moçambicanos*
por Nelson Saúte 175

2001 — *Moçambique, lugar para a poesia*
por Fátima Mendonça 183

2011 — *O legado do amanhã*
por Nelson Saúte 195

Apresentação

A Editora Kapulana tem a honra de oferecer ao leitor brasileiro a edição de SANGUE NEGRO, conjunto de poemas, escritos nas décadas de 1940 e 1950, da moçambicana NOÉMIA DE SOUSA (1926-2002), a "Mãe dos poetas moçambicanos". Mãe, matriz, fonte da poesia de Moçambique.

"Noémia de Sousa" e "Sangue Negro": duas expressões que imediatamente despertam nossas emoções e pensamentos e apontam para caminhos inesperados no tempo e no espaço. Alguns caminhos, desconhecidos. Outros, conhecidos, mas encobertos pelo tênue véu do esquecimento. São poemas doces e fortes. Tocam-nos o coração e a mente.

Foi em 2015 que o desejo de editar *Sangue negro* no Brasil começou a tomar forma. Prof. Francisco Noa, de Moçambique, estudioso de literaturas africanas, apresentou-nos Ungulani Ba Ka Khosa, escritor, diretor do INLD (Instituto Nacional do Livro e do Disco) e Secretário-geral da AEMO (Associação dos Escritores Moçambicanos), que nos cedeu os direitos de edição da obra no Brasil.

Agradecimentos especiais dedicamos à filha de Noémia de Sousa, Virgínia Soares, que tão gentil e prontamente autorizou a edição de *Sangue negro* no Brasil e nos enviou um testemunho afetivo sobre sua mãe, publicado na seção "Mensagens para Noémia".

Assim, chegou às mãos da Kapulana um precioso livro de capa vermelha: a 1a. edição de *Sangue negro*, realizada pela AEMO em 2001!

Durante um ano e meio, a equipe da Editora Kapulana trabalhou para preparar a edição que ora apresenta aos leitores. Muitos foram os desafios. Um deles foi a formalização ortográfica. A Kapulana optou por manter a grafia original dos textos, sem atualizações, de forma a que as particularidades da poesia de Noémia não se perdessem, como a sonoridade e o ritmo dos versos. Notas elucidativas foram inseridas no texto principal. Notas finais sobre termos de línguas locais foram devidamente organizadas com o auxílio de estudiosos de literaturas africanas de língua portuguesa do Brasil e de Moçambique.

Além dos poemas de Noémia de Sousa, a edição brasileira conta com importante prefácio da pesquisadora brasileira Profa. Dra. Carmen Lucia Tindó Secco: "Noémia de Sousa, grande dama da poesia moçambicana". Fazem parte também desta edição de 2016 "Textos de Edições Anteriores", revistos por seus autores

Fátima Mendonça, Francisco Noa e Nelson Saúte. Nelson Saúte, além de nos enviar gentilmente o texto da 2a. edição de *Sangue negro*, organizada por ele e editada pela Marimbique em 2011 em Moçambique, atendeu-nos incansavelmente com seus precisos esclarecimentos.

Além disso, a Kapulana oferece uma prenda de inestimável valor aos seus leitores: durante um ano, solicitamos impressões, lembranças, homenagens de muitos que conviveram com Noémia ou com sua obra. A ideia era recebermos um rol de depoimentos de valor testemunhal sobre a obra de Noémia de Sousa. Mas, como o resultado ultrapassou nossas expectativas, pelo seu inestimável valor artístico e de memória, demos a esse conjunto o nome de "Mensagens para Noémia". Recebemos textos emocionados em prosa, em versos e ilustrados; de amigos, parentes, conhecidos; artistas plásticos, poetas, prosadores, estudiosos, ativistas culturais; mais jovens, mais velhos; brasileiros, moçambicanos, angolanos, portugueses, goeses. Em alguns, a lembrança surge de forma abrupta, chocante. Em outros, nota-se que o retorno ao passado percorre um árduo caminho de dor. De outros, da lembrança aflora a esperança e a alegria, a catarse. Uma obra dentro da obra!

Como parte dessa obra, temos ilustrações de incontidos sentimentos, de Mariana Fujisawa, artista brasileira que também nos brinda com dois retratos inéditos de Noémia de Sousa.

Gostamos de pensar nessa edição de *Sangue negro* como um colar de contas preciosas em que estão ligados os poemas de Noémia de Sousa, o prefácio de Carmen Tindó, os posfácios de Fátima Mendonça, Francisco Noa e Nelson Saúte, as ilustrações de Mariana Fujisawa e as mensagens de todos que nos enviaram suas impressões em forma de prosa, poesia e ilustrações.

A seguir, nossos agradecimentos aos que tornaram possível a edição brasileira de *Sangue negro*:

Adelino Timóteo
Aldino Muianga
Ana Mafalda Leite
Calane da Silva
Carmen L. Tindó Secco
Clemente Bata
Domi Chirongo
Fátima Mendonça
Francisco Noa

José dos Remédios
José Luís Cabaço
Luandino Vieira
Lucílio Manjate
Luis Carlos Patraquim
Marcelino Freire
Mariana Fujisawa
Mia Couto
Nazir Ahmed Can

Nelson Saúte
Rita Chaves
Roberto Chichorro
Sílvia Bragança
Suleiman Cassamo
Tânia Tomé
Ungulani Ba Ka Khosa
Virgínia (Gina) Soares

São Paulo, 20 de setembro de 2016.

Noémia de Sousa, grande dama da poesia moçambicana

CARMEN LUCIA TINDÓ SECCO
Professora Titular de Literaturas Africanas de Língua Portuguesa da UFRJ (Universidade Federal do Rio de Janeiro), ensaísta e pesquisadora do CNPq (Conselho Nacional de Desenvolvimento Científico e Tecnológico) e da FAPERJ (Fundação de Amparo à Pesquisa do Estado do Rio de Janeiro)

Noémia de Sousa não é apenas uma grande dama da poesia moçambicana. É, também, uma grande dama da poesia africana em língua portuguesa, tendo em vista sua voz ardente ter ecoado por diversos espaços e compartilhado seu grito com outras vozes, em prol dos que lutaram e clamaram pela liberdade dos oprimidos, entre os anos 1940-1975, no contexto do colonialismo português.

Já não era sem tempo, no Brasil, a edição de *Sangue negro*, único livro escrito por Noémia. Praticamente desconhecida de grande parte dos leitores brasileiros, a autora, no entanto, nas décadas de 1940-1950, manteve, como jornalista, colaboração esparsa com a revista brasileira *Sul*, publicação que, nesse período, aproximou escritores e poetas do Brasil, entre os quais Marques Rebelo e Salim Miguel, de autores de Angola e de Moçambique, como António Jacinto e Augusto dos Santos Abranches, respectivamente. Além desses e de Noémia, outros escritores africanos também colaboraram na revista *Sul*: Glória de Sant'Anna, Viriato da Cruz, Luandino Vieira, Francisco José Tenreiro. Em *Cartas d'África e alguma poesia*, Salim Miguel reuniu algumas dessas missivas trocadas com escritores da África, em cujas páginas se detectam contundentes denúncias ao salazarismo.

A ligação de Noémia com o Brasil vem, por conseguinte, dessa época e se revela, ainda, em alguns poemas, nos quais a poetisa assinala não só sua breve passagem por terras brasileiras (cf. o poema "Samba", p. 85-87, cuja dedicatória ao amigo e fotógrafo moçambicano Ricardo Rangel registra a noite de 19/11/1949 em que estiveram juntos no Brasil), mas também sua declarada admiração por Jorge Amado, que pode ser claramente observada nos versos a seguir:

> [...]
> As estrelas também são iguais
> às que se acendem nas noites baianas
> de mistério e macumba...
> (Que importa, afinal, que as gentes sejam moçambicanas
> ou brasileiras, brancas ou negras?)
> Jorge Amado, vem!
> Aqui, nesta povoação africana
> o povo é o mesmo também
> é irmão do povo marinheiro da Baía,
> companheiro Jorge Amado,
> amigo do povo, da justiça e da liberdade!
> [...]
> (SOUSA, "Poema a Jorge Amado", p. 125.)

Nos versos citados, o sangue pulsante nas veias do povo baiano carrega igual seiva africana, traz a memória amarga de negreiros que transportaram muitos escravos de lá, vindos para o Brasil à revelia. Há, na poesia de Noémia, uma emoção e uma musicalidade tão profundas, que atravessam tempos e espaços.

Nos jornais moçambicanos, entre 1948 e 1951, os poemas de Noémia de Sousa acenderam consciências, fizeram vibrar revoltas, dialogaram com o movimento da Negritude e com o Renascimento Negro do Harlem, entrecruzaram cadências melódicas e estribilhos de *blues*, *spirituals* e *jazz*, fazendo vir à tona a musicalidade africana reinventada.

No Brasil, tantos anos depois, na Feira Literária de Paraty, em julho de 2015, um poema de Noémia, intitulado "Súplica", ao ser lido pelo poeta pernambucano Marcelino Freire, provocou enorme comoção no público presente. Em agosto de 2015, Emicida, cantor brasileiro de *rap*, no SESC Pinheiros, em São Paulo, também declamou esse mesmo poema, comovendo os ouvintes que não conseguiram esconder o entusiasmo e a atração despertados. Por tudo isso, torna-se importante, no Brasil, ler e conhecer a vida e a obra de Noémia de Sousa, o que contribuirá, sobremaneira, para refazer, com a África, alguns laços ancestrais que uma história de dores e exílios esgarçou por tanto tempo.

Carolina Noémia Abranches de Sousa nasceu em 20 de setembro de 1926, em Catembe, em uma casa à beira-mar, banhada pelo Índico, no litoral de Moçambique; faleceu em 2002, em Cascais, em Portugal, levando consigo a mágoa de não ter sido convidada para a festa da independência de Moçambique pela qual tanto lutou em sua mocidade.

Noémia era mestiça, tanto por via paterna, como materna: seu pai, de procedência lusitana, afro-moçambicana e goesa, era originário da Ilha de Moçambique; sua mãe, filha de um caçador alemão e de uma mulher africana da etnia ronga, era do sul de Moçambique. Ela sempre se mostrou precoce; antes dos cinco anos, já lia, pois o pai, cedo, a iniciara no mundo das letras e a incentivara intelectualmente. Com a morte deste, quando ela tinha apenas 8 anos, as condições financeiras da família mudaram e, aos 16 anos, se viu obrigada a trabalhar para ajudar na educação dos irmãos. Entretanto, mesmo trabalhando, nunca deixou de procurar amigos que defendiam as letras, as artes e os ideais libertários, em Moçambique. As orientações recebidas do pai calaram-lhe fundo e a levaram a atuar politicamente junto a intelectuais que reivindicavam uma sociedade mais justa e humana.

Em 1948, Noémia publicou, no *Jornal da Mocidade Portuguesa*, em Moçambique, o poema "Canção Fraterna", cuja repercussão fez com que se aproximasse de um grupo revolucionário de jovens moçambicanos: João e Orlando Mendes, Ruy Guerra, Ricardo Rangel, Cassiano Caldas, José Craveirinha, entre outros. A combatividade poética e política de seus poemas, assinados com as iniciais N. S. ou com o pseudônimo literário Vera Micaia, acarretou à autora o exílio. Junto com João Mendes e Ricardo Rangel, foi presa por atacar, frontalmente, o sistema colonial português em Moçambique. Foi degredada para Portugal, tendo participado, em 1951, da Casa dos Estudantes do Império, em Lisboa; viajou pela América e, entre 1952 e 1972, foi deportada para Paris, continuando, como jornalista, poetisa e tradutora, sua luta a favor do nacionalismo e da libertação de Moçambique.

Noémia de Sousa inaugurou a cena literária feminina moçambicana, protestando contra as opressões sofridas pelas mulheres em Moçambique. Seus 46 poemas, escritos todos entre 1948 e 1951, circulavam em jornais da época, como *O Brado Africano*. Só em 2001, foram reunidos no livro *Sangue negro*, publicado pela Associação dos Escritores Moçambicanos (AEMO), com organização de Nelson Saúte, Francisco Noa e Fátima Mendonça. Noémia não queria seus poemas publicados em livro. Ela tinha consciência da dimensão de sua linguagem poética, capaz de disseminar a revolta por intermédio de poemas incendiários, passados, de mão em mão, de jornal em jornal (*O Brado Africano*, *Itinerário* etc.), de antologia em antologia (as editadas pela Casa dos Estudantes do Império, CEI, em 1951 e 1953; a *Poesia negra de expressão portuguesa*, organizada por Mário Pinto de Andrade e Francisco José Tenreiro, em 1953; o *Boletim Mensagem*, de 1962; a antologia *No reino de Caliban*, organizada por Manuel Ferreira em 3 volumes, em 1975, 1976 e 1988; a *Antologia temática de poesia africana*, de Mário Pinto de Andrade em 2 volumes, em 1975 e 1979; a *Antologia da nova poesia moçambicana*, organizada por Fátima Mendonça e Nelson Saúte, em 1993, entre outras).

Embora, para Noémia, um livro com seus poemas não fosse necessário à sua militância poética, para os estudiosos de sua poesia, as duas edições moçambicanas de *Sangue negro* – a de 2001, pela AEMO, e a de 2011, pela Editora Marimbique, de Nelson Saúte – foram importantíssimas, pois cumpriram a tarefa de consagração da primeira poetisa das letras de Moçambique, considerada por Zeca Afonso, compositor e cantor da "Grândula Morena", nas celebrações do 25 de Abril, "a mãe dos poetas moçambicanos". Mãe, por ser a primeira voz feminina da poesia moçambicana a embalar os poetas que a sucederam. Contudo, é como irmã, companheira de luta, que os sujeitos poéticos de grande parte dos poemas de *Sangue negro* se impõem. Irmã, filha de uma África violada e aviltada durante séculos, cujos filhos foram vítimas de muitas discriminações e crueldades. Irmã, que denuncia os dramas do continente africano.

A publicação de *Sangue negro*, no Brasil, amplia esse universo de sagração da autora, cuja voz atravessou *índices de revolta e desespero*, levando seu brado contestador por outras terras e mares, sem se calar, mesmo no exílio, vivido até a morte, em 2002, em Portugal.

A edição brasileira mantém a mesma estrutura das edições moçambicanas anteriores, respeitando a divisão em seis seções: "Nossa Voz", "Biografia", "Munhuana 1951", "Livro de João", "Sangue Negro", "Dispersos".

A primeira seção funda a "poética da voz", a "*poiesis* do grito" que se quer rebelde e se expressa por poemas longos, caudalosos, feitos para serem declamados, dramatizadamente, de forma a traduzirem a indignação do sujeito lírico que, por meio de anáforas e gradações, não se cansa de gritar contra as injustiças sociais, denunciando a escravidão, os preconceitos em relação aos negros, a fome e a pobreza dos menos favorecidos.

A voz de Noémia não é apenas feminina; é, também, coletiva. É uma voz tutelar, fundadora da poesia moçambicana. É uma voz plural, prometeica, que, epicamente, assume uma heroicidade salvacionista, na medida em que se declara como a que iluminará e libertará os destinos dos irmãos africanos marginalizados. É evidente a postura redentora dos sujeitos poéticos, cuja missão é dar passagem ao povo oprimido. São inúmeras as imagens que se relacionam a esse campo semântico: "trespassou", "passe", "abrir a porta". Tais metáforas dão abertura aos poemas da segunda seção, "Biografia", que tratam não apenas da urgência de ser recobrada a memória individual de Noémia, nascida na casa à beira-mar, em Catembe, mas, ainda, do imperativo de ser revigorada a memória ancestral dos povos negros moçambicanos e africanos, cujos hábitos, crenças, ritmos e histórias precisam ser preservados, assim como necessitam ser esconjuradas as lembranças sombrias de injúrias e atrocidades vividas ao longo de séculos de escravidão.

O poema "Deixa passar o meu povo", "*Let my people go*", se configura como movimento e ação para dentro e fora de Moçambique. É uma poética nervosa, tecida por afetos e emoções, que, pulsantes, revelam a revolta contra as discriminações vivenciadas não só pelos negros de África, porém, também, pelos africanos dispersos nas Américas e no mundo. Nesse sentido, a voz de Noémia se acumplicia à dos irmãos negros do Harlem, referência explícita ao Renascimento Negro, de Langston Hughes.

> Noite morna de Moçambique
> e sons longínquos de marimba chegam até mim
> – certos e constantes –
> vindos nem eu sei donde.
> Em minha casa de madeira e zinco,
> abro o rádio e deixo-me embalar...
> Mas vozes da América remexem-me a alma e os nervos.
> E Robeson e Marian cantam para mim
> spirituals negros de Harlém.
> "Let my people go"
> – oh deixa passar o meu povo,
> deixa passar o meu povo –,
> dizem.
> [...]
>
> (Idem, "Deixa passar o meu povo", p. 48-49.)

No posfácio "Noémia de Sousa: a metafísica do grito", escrito por Francisco Noa, é sublinhado esse pendor para a emoção, recorrente na poesia de Noémia, em que são frequentes apóstrofes, cuja função é imprimir uma dicção emocionada aos versos. É uma emoção fremente, acelerada, que deixa à mostra o dilaceramento do sujeito poético, cuja insubordinação se manifesta não apenas no nível temático, mas, ainda, no campo da linguagem.

Os afetos na poética de Noémia vão da repulsa e do ódio ao amor e à esperança, da angústia e da solidão à indignação e à solidariedade, da vergonha e da humilhação à rebeldia e à coragem. A voz enunciatória prima por um derramamento de sentimentos que leva a mulher oprimida a buscar recuperar sua dignidade. Falando da margem, dos bairros periféricos de Lourenço Marques, antiga capital moçambicana no tempo colonial, o sujeito lírico feminino se rebela contra o abuso sofrido pelas moças das docas, encaradas como objetos sexuais pelos colonizadores, cuja posse empreendida não foi só da terra, porém, também, dos corpos dessas negras, tratadas, quase sempre, de forma exótica e subalterna.

> Somos fugitivas de todos os bairros de zinco e caniço.
> Fugitivas das Munhuanas e dos Xipamanines,
> viemos do outro lado da cidade
> com nossos olhos espantados,
> nossas almas trancadas,
> nossos corpos submissos escancarados.
> [...]
> (Idem, "Moças das Docas", p. 79.)

Este poema faz parte da terceira seção do livro, intitulada "Munhuana 1951". Os espaços marginais aqui são eleitos como cenários de uma poesia que chama atenção para os subalternizados pelo regime colonial racista: as mulheres negras e pobres, prostituídas e humilhadas; os habitantes dos bairros de caniço, Munhuana, Mafalala, Xipamanine; os magaíças, serviçais explorados nas minas da África do Sul; os zampunganas, negros que recolhiam em baldes, à noite, as fezes dos patrões colonizadores; os escravos, em diáspora, que, obrigados a condições subumanas de trabalho, morreram em terras distantes.

Os poemas da quarta seção "Livro de João" constituem uma espécie de réquiem a João Mendes, seu irmão de luta, cuja vida deu à causa dos oprimidos de Moçambique e da África em geral:

> [...]
> Ah, roubaram-nos João,
> mas João somos nós todos,
> por isso João não nos abandonou...
> E João não "era", "é" e "será",
> porque João somos nós, nós somos multidão,
> [...]
>
> (Idem, "Poema de João", p. 108.)

João representa o companheiro político com quem Noémia partilhou ideais revolucionários. Os poemas desta seção choram a falta do amigo, mas rendem-lhe homenagem por ter sido o grande mentor intelectual, cujas lições de liberdade ficaram e continuaram a animar a poesia da autora.

A seguir, a quinta seção, "Sangue Negro", reúne composições poéticas de profunda recusa à opressão sofrida pelos negros. É o momento em que os sujeitos poéticos celebram o sangue negro, metáfora da ancestralidade africana reinventada e repensada por uma poesia lúcida que consegue dizer não a formas de imposição e autoritarismo:

> Bates-me e ameaças-me,
> Agora que levantei minha cabeça esclarecida
> E gritei: "Basta!"
> [...]
> Condenas-me à escuridão eterna
> Agora que minha alma de África se iluminou
> E descobriu o ludíbrio...
> E gritei, mil vezes gritei: "Basta!"
>
> (Idem, "Poema", p. 122.)

Se a poesia de Noémia, por um lado, se pautou pelo grito de "basta" à exploração da mulher e à escravização dos negros em geral, por outro procurou afirmar traços da oralidade e da cultura popular de Moçambique, como também aspectos de valorização das raízes africanas em geral.

Os poemas da quinta seção, numa espécie de gradação, alcançam o clímax de suas reivindicações, celebrando a África e outras vozes que também bradaram pela liberdade: Billie Holiday, nascida em 1924 na Pensilvânia, a primeira grande cantora de *jazz*, cujas letras das canções protestaram, com veemência, contra o preconceito racial e as desigualdades sofridas pelos negros americanos; Jorge Amado que defendeu o Brasil negro, descendente dos escravos vindos da África; Rui de Noronha, o poeta-precursor da poesia moçambicana.

O livro de Noémia de Sousa se fecha com a sexta seção, "Dispersos", em que se encontram os poemas: "Quero conhecer-te África", "19 de outubro", "A Mulher que ria à Vida e à Morte". Nessas três composições, fica expresso o compromisso de os sujeitos poéticos mergulharem num profundo conhecimento da África milenar, buscando recuperar a prática do culto aos antepassados, a crença de que é preciso continuar a batalha daqueles que deram a vida pelas causas libertárias, pois, segundo antigas religiosidades africanas, "para lá da curva, esperam os espíritos ancestrais".

Mesmo tendo vivido tantos anos fora de Moçambique, Noémia de Sousa se manteve viva na lembrança do povo moçambicano e seus poemas não se afastaram de suas origens africanas. Por isso, talvez, não tenha sido relegada ao silêncio, nem ao esquecimento, tendo sido aclamada "a mãe dos poetas moçambicanos". Agora, publicada no Brasil, sua voz continuará a ecoar, compartilhando com Jorge Amado, entre outros, as dores da memória de um passado escravo que ainda precisa ser exorcizado para, definitivamente, ser ultrapassado.

Rio de Janeiro, 26 de maio de 2016.

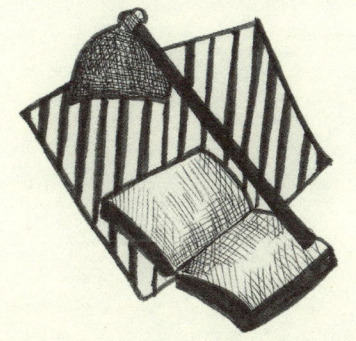

Para
Cassiano Caldas
e
João Mendes
pelo muito que este livro lhes deve

"Um escarro no rosto não tem expressão. Sente-se"
M. Torga

"Para quem espera, como nós,
é sempre a hora de cantar"
Carlos de Oliveira

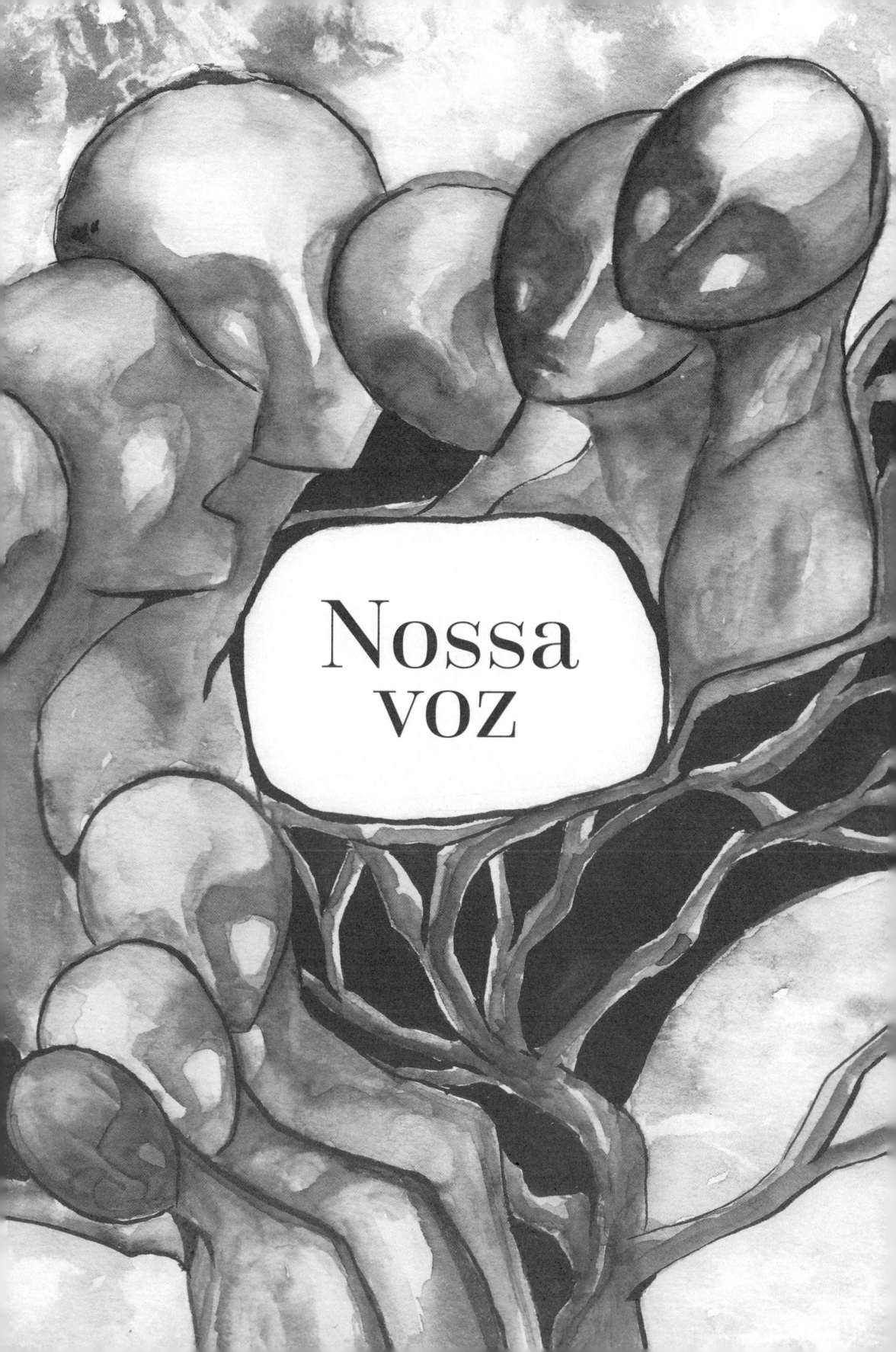

Ao J. Craveirinha

Nossa voz ergueu-se consciente e bárbara
sobre o branco egoísmo dos homens
sobre a indiferença assassina de todos.
Nossa voz molhada das cacimbadas do sertão
nossa voz ardente como o sol das malangas
nossa voz atabaque chamando
nossa voz lança de Maguiguana
nossa voz, irmão,
nossa voz trespassou a atmosfera conformista da cidade
e revolucionou-a
arrastou-a como um ciclone de conhecimento.

E acordou remorsos de olhos amarelos de hiena
e fez escorrer suores frios de condenados
e acendeu luzes de esperança em almas sombrias de desesperados...

Nossa voz, irmão!
nossa voz atabaque chamando.

Nossa voz lua cheia em noite escura de desesperança
nossa voz farol em mar de tempestade
nossa voz limando grades, grades seculares
nossa voz, irmão! nossa voz milhares,
nossa voz milhões de vozes clamando!

Nossa voz gemendo, sacudindo sacas imundas,
nossa voz gorda de miséria,
nossa voz arrastando grilhetas

nossa voz nostálgica de ímpis
nossa voz África
nossa voz cansada da masturbação dos batuques de guerra
nossa voz negra gritando, gritando, gritando!
Nossa voz que descobriu até ao fundo,
lá onde coaxam as rãs,
a amargura imensa, inexprimível, enorme como o mundo,
da simples palavra ESCRAVIDÃO:

Nossa voz gritando sem cessar,
nossa voz apontando caminhos
nossa voz xipalapala
nossa voz atabaque chamando
nossa voz, irmão!
nossa voz milhões de vozes clamando, clamando, clamando!

06/08/1949

Nossa irmã a lua

Não, não nos digam que a lua
não é nossa irmã,
uma irmãzinha meiga que nos cubra
a todos com a quentura terna e gostosa
do seu carinho...
que entorne toda a sua doce claridade
sobre as nossas tristes cabeças vergadas
e, como um feitiço forte e misterioso,
nos afugente as raivas fundas e dolorosas
de revoltados,
com sua morna carícia de veludo.

Sua enorme mão,
luminosamente branca, consegue-nos tudo.
E sob o seu feitiço potente, serenamos.
E pouco a pouco, momento a momento,
sossegando vamos...
Fechando nossos olhos impacientes de esperar,
já podemos vogar no mar
parado dos nossos sonhos cansados...
e até podemos cantar!
Até podemos cantar o nosso lamento...
De olhos para dentro, para dentro de nós,
sentimo-nos novamente humanos,
somos nós novamente,
e não brutos e cegos animais aguilhoados...

Sim. Nós cantamos amorosamente
a lua amiga que é nossa irmã.

– Embora nos repitam que não,
nós o sentimos, fundo, no coração...
(que bem vemos
que no seu largo rosto de leite há sorrisos brandos de doçura
para nós, seus irmãos...)
Só não compreendemos
como é que, sendo tão branca a lua nossa irmã,
nos possa ser tão completamente cristã,
se nós somos tão negros, tão negros,
como a noite mais solitária e mais desoladamente escura...

01/03/1949

Súplica

Tirem-nos tudo,
mas deixem-nos a música!

Tirem-nos a terra em que nascemos,
onde crescemos
e onde descobrimos pela primeira vez
que o mundo é assim:
um tabuleiro de xadrez...

Tirem-nos a luz do sol que nos aquece,
a lua lírica do xingombela
nas noites mulatas
da selva moçambicana
(essa lua que nos semeou no coração
a poesia que encontramos na vida)
tirem-nos a palhota – humilde cubata
onde vivemos e amamos,
tirem-nos a machamba que nos dá o pão,
tirem-nos o calor de lume
(que nos é quase tudo)
– mas não nos tirem a música!

Podem desterrar-nos,
levar-nos
para longes terras,
vender-nos como mercadoria,
acorrentar-nos
à terra, do sol à lua e da lua ao sol,
mas seremos sempre livres
se nos deixarem a música!

Que onde estiver nossa canção
mesmo escravos, senhores seremos;
e mesmo mortos, viveremos.
e no nosso lamento escravo
estará a terra onde nascemos,
a luz do nosso sol,
a lua dos xingombelas,
o calor do lume,
a palhota onde vivemos,
a machamba que nos dá o pão!

E tudo será novamente nosso,
ainda que cadeias nos pés
e azorrague no dorso...
E o nosso queixume
será uma libertação
derramada em nosso canto!
– Por isso pedimos,
de joelhos pedimos:
Tirem-nos tudo...
mas não nos tirem a vida,
não nos levem a música!

04/01/1949

Abri a porta, companheiros

Ai abri-nos a porta,
abri-a depressa, companheiros,
que cá fora andam o medo, o frio, a fome,
e há cacimba, há escuridão e nevoeiro...
Somos um exército inteiro,
todo um exército numeroso,
a pedir-vos compreensão, companheiros!

E continua fechada a porta...

Nossas mãos negras inteiriçadas,
de talhe grosseiro
– nossas mãos de desenho rude e ansioso –
já cansam de tanto bater em vão...

Aí companheiros,
abandonai por momentos a mansidão
estagnada do vosso comodismo ordeiro
e vinde!
Ou então,
podeis atirar-nos também,
mesmo sem vos moverdes,
a chave mágica, que tanto cobiçamos...
Até com a humilhação do vosso desdém,
nós a aceitaremos.

O que importa
é não nos deixarem morrer
miseráveis e gelados,
aqui fora, na noite fria povoada de xipócués...

"O que importa
é que se abra a porta".

23/06/1949

A ti, que nos exiges um passe para podermos passear
pelos caminhos hostis da nossa terra,
diremos quem somos, diremos quem somos:

– Eternos esquecidos na hora do banquete,
abandonam-nos sempre na rua húmida, reluzente de noite,
e oferecem-nos apenas o espectáculo[1] das janelas iluminadas,
dos risos estrídulos, e a amarga ironia das nossas canções negras
filtradas como aguardente de cana por lábios finos e cruéis...

Nós somos os filhos adoptivos[2] e os ilegítimos,
que vossos corações tímidos, desejosos de comprar o céu – ou a vida,
vieram arrancar aos trilhos ladeados de micaias,
para depois nos lançarem, despidos das peles e das azagaias,
– ah, despojados dos diamantes do solo e do marfim,
despojados da nossa profunda consciência de homens –
nos tantos metros quadrados[3] dos bairros de zinco e caniço!

Nós somos sombras para os vossos olhos, somos fantasmas.
Mas, como estamos vivos, extraordinariamente vivos e despertos!
Com sonhos de melodia no fundo dos olhos abertos,
somos os muchopes de penas saudosas nos chapéus de lixo;
e zampunganas trágicos – xipócués vagos nas noites munhuanenses,
e mamparras coroados de esperança, e magaíças,
e macambúzios com seu shipalapala ecoando chamamentos...
No cais da cidade, somos os pachiças

---
1 espetáculo: Acordo Ortográfico da Língua Portuguesa, 1990.
2 adotivo: Acordo Ortográfico da Língua Portuguesa, 1990.
3 "quadros": provável erro de digitação nas edições moçambicanas; na atual edição, termo alterado para "quadrados".

e na Vida digna, somos aqueles que encontraram os lugares tomados,
somos os que não têm lugar na Vida, ah na Vida que se abre, luminosa,
com cada dia de pétala!

Nós somos aqueles que só na revolta encontram refúgio.
Que se deixam possuir, ébrios, pelo feitiço dos tambores,
nos batuques nocturnos[4] da vingança,
somos aqueles que modelam sua dor de braços torcidos
no pau preto do Norte,
a dor deformadora que mais tarde despertará o desprezo e a incompreensão
nas prateleiras dos museus da civilização...

Somos os despojados, somos os despojados!
Aqueles a quem tudo foi roubado,
Pátria e dignidade, Mãe e riquezas e crenças, e Liberdade!
Até a voz da nossa Raça, da revolta dos nossos corpos tatuados,
nos foi roubada para embriaguez de vossos sentidos anémicos,
arrastando-se nos bailes frios iluminados a electricidade[5]...
Despojados, ficámos nus e trémulos,
nus na abjecta[6] escravidão dos séculos...
Mas com o calor da chama eterna das nossas fogueiras acesas,
crepitando, rubras, sobre os dias e as noites,
com vaga-lumes de protesto, de gritos, de esperança!

– Agora, que sabes quem somos,
não nos exijas mais a ignomínia do "passe" das vossas leis!

06/09/1950

---

4 noturnos: Acordo Ortográfico da Língua Portuguesa, 1990.
5 eletricidade: Acordo Ortográfico da Língua Portuguesa, 1990.
6 abjeta: Acordo Ortográfico da Língua Portuguesa, 1990.

Justificação

Se o nosso canto negro é simultaneamente
baço e ameaçador como o mar
em noites de calmaria;
se a nossa voz é rouca e agreste
só se abrindo em gritos de rebeldia;
se é ao mesmo tempo amarga e doce a nossa poesia
como suco de nhantsumas silvestres;
se é encovado e profundo o nosso olhar
rasgando-se impávido à luz do dia;
se são disformes e gretados nossos pés espalmados
de trilhar caminhos ingratos;
se a nossa alma se fechou para a alegria
e só dá hospedagem ao ódio e à revolta
– não nos culpes a nós, irmão vindo das ruas da cidade.

Que entre nós e o sol se interpuseram
grades feias de escravidão,
grades negras e cerradas a impedir-nos de tostar
de verdadeira felicidade,

Mas ai, irmão vindo das ruas da cidade!
Nosso firme sentido de justiça, nossa indómita vontade a nascer
nossa miséria comum vestida de sacas rotas e imundas,
nossa própria escravidão
serão o calor e o maçarico que fundirão
para sempre as grossas colunas que nos zebraram a vida inteira
e lhe arrancaram todo o jeito doce e inexprimível de vida.

22/07/1949

Biografia

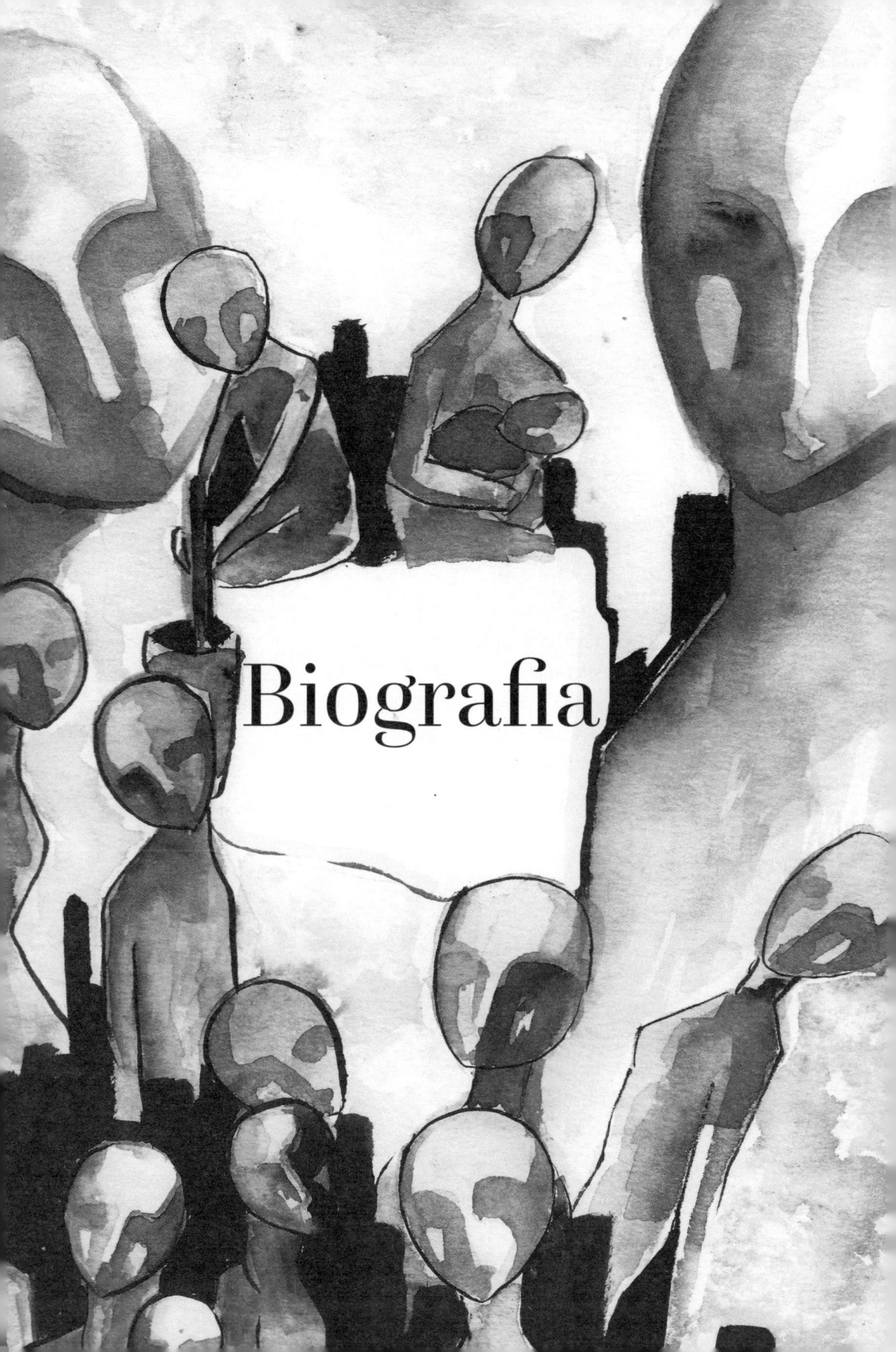

Se me quiseres conhecer

Para Antero

Se me quiseres conhecer,
estuda com os olhos bem de ver
esse pedaço de pau preto
que um desconhecido irmão maconde
de mãos inspiradas
talhou e trabalhou
em terras distantes lá do Norte.

Ah, essa sou eu:
órbitas vazias no desespero de possuir a vida,
boca rasgada em feridas de angústia,
mãos enormes, espalmadas,
erguendo-se em jeito de quem implora e ameaça,
corpo tatuado de feridas visíveis e invisíveis
pelos chicotes da escravatura...
Torturada e magnífica,
altiva e mística,
África da cabeça aos pés,
– ah, essa sou eu:

Se quiseres compreender-me
vem debruçar-te sobre minha alma de África,
nos gemidos dos negros no cais
nos batuques frenéticos dos muchopes
na rebeldia dos machanganas
na estranha melancolia se evolando
duma canção nativa, noite dentro...

E nada mais me perguntes,
se é que me queres conhecer...
Que não sou mais que um búzio de carne,
onde a revolta de África congelou
seu grito inchado de esperança.

25/12/1949

Poema da infância distante

A Rui Guerra

Quando eu nasci na grande casa à beira-mar,
era meio-dia e o sol brilhava sobre o Índico.
Gaivotas pairavam, brancas, doidas de azul.
Os barcos dos pescadores indianos não tinham regressado ainda
arrastando as redes pejadas.
Na ponte, os gritos dos negros dos botes
chamando as mamanas amolecidas de calor,
de trouxas à cabeça e garotos ranhosos às costas
soavam com um ar longínquo,
longínquo e suspenso na neblina do silêncio.
E nos degraus escaldantes,
mendigo Mufasini dormitava, rodeado de moscas.

Quando eu nasci...
– Eu sei que o ar estava calmo, repousado (disseram-me)
e o sol brilhava sobre o mar.
No meio desta calma fui lançada ao mundo,
já com meu estigma.
E chorei e gritei – nem sei porquê.
Ah, mas pela vida fora,
minhas lágrimas secaram ao lume da revolta.
E o Sol nunca mais me brilhou como nos dias primeiros
da minha existência,
embora o cenário brilhante e marítimo da minha infância,
constantemente calmo como um pântano,
tenha sido quem guiou meus passos adolescentes,
– meu estigma também.
Mais, mais ainda: meus heterogéneos companheiros
de infância.

Meus companheiros de pescarias
por debaixo da ponte,
com anzol de alfinete e linha de guita,
meus amigos esfarrapados de ventres redondos como cabaças,
companheiros nas brincadeiras e correrias
pelos matos e praias da Catembe
unidos todos na maravilhosa descoberta dum ninho de tutas,
na construção duma armadilha com nembo,
na caça aos gala-galas e beija-flores,
nas perseguições aos xitambelas sob um sol quente de Verão...
– Figuras inesquecíveis da minha infância arrapazada,
solta e feliz:
meninos negros e mulatos, brancos e indianos,
filhos da mainata, do padeiro,
do negro do bote, do carpinteiro,
vindos da miséria do Guachene
ou das casas de madeira dos pescadores,
Meninos mimados do posto,
meninos frescalhotes dos guardas-fiscais da Esquadrilha
– irmanados todos na aventura sempre nova
dos assaltos aos cajueiros das machambas,
no segredo das maçalas mais doces,
companheiros na inquieta sensação do mistério da "Ilha dos navios perdidos"
– onde nenhum brado fica sem eco.

Ah, meus companheiros acocorados na roda maravilhada
e boquiaberta de "Karingana wa karingana"
das histórias da cocuana do Maputo,
em crepúsculos negros e terríveis de tempestades
(o vento uivando no telhado de zinco,
o mar ameaçando derrubar as escadas de madeira da varanda
e casuarinas, gemendo, gemendo,
oh inconsolavelmente gemendo,

e reis Massingas virados jibóias[7]...)
Ah, meus companheiros me semearam esta insatisfação
dia a dia mais insatisfeita.

Eles me encheram a infância do sol que brilhou
no dia em que nasci.
Com a sua camaradagem luminosa, impensada,
sua alegria radiante,
seu entusiasmo explosivo diante
de qualquer papagaio de papel feito asa
no céu dum azul tecnicolor,
sua lealdade sem código, sempre pronta,
– eles encheram minha infância arrapazada
de felicidade e aventuras inesquecíveis.

Se hoje o sol não brilha como no dia
em que nasci, na grande casa,
à beira do Índico,
não me deixo adormecer na escuridão.
Meus companheiros me são seguros guias
na minha rota através da vida.
Eles me provaram que "fraternidade" não é mera palavra bonita
escrita a negro no dicionário da estante:
ensinaram-me que "fraternidade" é um sentimento belo, e possível,
mesmo quando as epidermes e a paisagem circundante
são tão diferentes.

Por isso eu CREIO que um dia
o sol voltará a brilhar, calmo, sobre o Índico.
Gaivotas pairarão, brancas, doidas de azul
e os pescadores voltarão cantando,
navegando sobre a tarde ténue.

---

7 jiboias: Acordo Ortográfico da Língua Portuguesa, 1990.

E este veneno de lua que a dor me injetou nas veias
em noite de tambor e batuque
deixará para sempre de me inquietar.

Um dia,
o sol iluminará a vida.
E será como uma nova infância raiando para todos...

29/04/1950

Shimani

Sempre que eu recordo a casa à beira-mar da infância,
surgem-me teus olhos meigos de xipeia ferida,
aguados de humildade,
constantes como um remorso.

Lembras-te, minha amiga, da palhota do Guachene?

Nos meus braços egoístas de dona,
uma boneca sorria sempre, com seus olhos verdes de gato.
E nos teus braços sempre vazios, Shimani,
só ternura imensa e insaciada,
ternura verdadeira de mãe.
Teus olhos meigos de xipeia ferida,
com seu eterno brilho de resignação,
afagavam muito, longamente, quase com desespero,
a minha linda boneca loira.

Lembras-te?

Depois, era Natal
e o meu vestido de seda, aos folhos,
era uma das glórias do dia.
E fogãozinho lindo que Papá deu,
e o anel de ouro que Padrinho trouxe,
e os lápis de cor trazidos pelo Sr. Romeu,
e os sapatos brancos que Mamã ofereceu?
E os bolos, o arroz doce,
e o leitão assado,
e as flores na mesa branca da sala de jantar?

Natal, Shimani, hoje é dia de Natal!
Tu foste à missa, como eu,
foste à missa, Shimani?

Shimani não foi à missa, não.
Shimani nem deve saber que hoje é dia de Natal,
porque não vestiu vestido de folhos.
Vestiu hoje o mesmo vestido de riscado de[8] todos os dias,
roto e velho, comprado no monhé do bazar.
E veio descalça, sem presente nem nada.
Só com seus grandes olhos meigos de xipeia ferida,
no rosto luzidio, espetado no pescoço magro e longo.

Ah Shimani, naquele dia,
tu partilhaste do meu Natal.
E todos os natais após, tu continuaste a partilhá-los.
Mas agora? Agora?
Quem vai apagar essa lágrima permanente
do teu olhar de xipeia ferida,
constante como um remorso, teu olhar
que dói para além de qualquer comparação?

Ah Shimani, minha Shimani!

26/06/1950

---

[8] "e riscado e": provável erro de digitação nas edições moçambicanas; na atual edição, expressão alterada para "de riscado de".

Deixa passar o meu povo

Para João Silva

Noite morna de Moçambique
e sons longínquos de marimbas chegam até mim
– certos e constantes –
vindos não sei eu donde.
Em minha casa de madeira e zinco,
abro e deixo-me embalar...
Mas vozes da América remexem-me a alma e os nervos.

E Robeson e Marian cantam para mim
spirituals negros de Harlém.
"Let my people go"
– oh deixa passar o meu povo,
deixa passar o meu povo! –
dizem.
E eu abro os olhos e já não posso dormir.
Dentro de mim, soam-me Anderson e Paul
e não são doces vozes de embalo.
"Let my people go"!

Nervosamente,
eu sento-me à mesa e escrevo...
Dentro de mim,
deixa passar o meu povo,
"oh let my people go..."
E já não sou mais que instrumento

do meu sangue em turbilhão
com Marian me ajudando
com sua voz profunda – minha irmã!

Escrevo...
Na minha mesa, vultos familiares se vêm debruçar.
Minha Mãe de mãos rudes e rosto cansado
e revoltas, dores, humilhações,
tatuando de negro o virgem papel branco.
E Paulo, que não conheço,
mas é do mesmo sangue e da mesma seiva amada de Moçambique,
e misérias, janelas gradeadas, adeuses de magaíças,
algodoais, o meu inesquecível companheiro branco
E Zé – meu irmão – e Saúl,
e tu, Amigo de doce olhar azul,
pegando na minha mão e me obrigando a escrever
com o fel que me vem da revolta.
Todos se vêm debruçar sobre o meu ombro,
enquanto escrevo, noite adiante,
com Marian e Robeson vigiando pelo olho luminoso do rádio
– "let my people go
oh let my people go!"

E enquanto me vierem de Harlém
vozes de lamentação
e meus vultos familiares me visitarem
em longas noites de insónia,
não poderei deixar-me embalar pela música fútil
das valsas de Strauss.
Escreverei, escreverei,
com Robeson e Marian gritando comigo:
Let my people go,
OH DEIXA PASSAR O MEU POVO!

25/01/1950

Poema para um amor futuro

Um dia
– não sei quando nem onde –
das névoas cinzentas do futuro,
ele surgirá, envolto em mistério e magia
– o homem que eu amarei.
Não será herói de livro de fantasia,
príncipe russo
ator de cinema
ou milionário com saldo no Banco.
Não.
O homem que eu amarei
será tal qual eu, no fundo.
Suas mãos, como as minhas,
estarão calejadas do dia a dia
e seus olhos terão reflexos de aço
como os meus.
Sua alma será irmã minha
com a mesma angústia e o mesmo amor,
com o mesmo frio ódio e a mesma esperança.
E do seu pescoço estará suspenso, como do meu,
o marfim do mesmo amuleto.

Ah, ele será humano, como eu,
e da mesma seiva generosa.
Completamente humano e verdadeiro
– que só assim eu o poderei amar.
E só será perfeito quanto a nossa condição o permitir,
para que sejamos na vida o que ela nos pedir:
companheiros,

juntos na mesma barricada,
lutando num mesmo ideal.

Ah, sim,
quando a paz descer sobre o campo de luta,
poderei enfim
dar-me completamente.
Minha alma, finalmente,
poderá encher-se como um búzio, da música do luar
e do murmúrio do mar.
E meu corpo adubado de ânsias,
abrir-se-á à charrua do seu desejo,
à semente do seu amor.
Serei então irmã gémea da Terra,
carregando em mim o mistério da vida,
machamba aberta à chuva benéfica
e ao sol fecundo do seu amor.
E quando em mim se fizer o milagre,
quando do meu grito de morte
surgir a vitória máxima da vida,
ah, então eu estarei completa.

Mas só depois da paz descer sobre o meu campo da luta,
antes disso, não.
Antes, seremos companheiros da mesma obra,
operários construindo o nosso mundo.
Por isso, amor que não conheço,
nada mais me peças enquanto não for terminada a obra.
Enquanto ela durar,
não poderei ser tua completamente,
porque me dei, inteira,
a este sonho que tudo apouca.
Para ti irão apenas os breves momentos de tréguas,
o calor que me sobrar da fogueira de todos.

Mas quando da noite desumana
surgir a manhã que construímos, lado a lado,
quando nossa Mãe África nos estender seus pulsos libertos
quando a calma descer sobre a casa que edificámos,
então seguiremos, na luz clara desse Sol maravilhoso,
nosso destino natural de Homem e Mulher
e dos seus gritos de morte
nossos filhos poderão nascer então,
num mundo de justiça.

Para meu amor futuro, que me completará,
para esse amor distante
escrevi este poema.
Que tu o leias um dia, amor que não conheço,
quando me surgires, embrulhado em mistério,
e minha alma e meu corpo
palpitarem de reconhecimento – és tu!
Que aquele que amarei o leia
e me leia, neste poema que lhe escrevi.

12/02/1950

Poema

A Maria Irene, com admiração

Mãe:
Era noite e havia uma lua enorme,
como um balão enorme assoprado no ar,
quando me passou um grupo à porta,
um estranho grupo de olhos visionários,
sacudindo sacas esfarrapadas,
de pés gretados cobertos de lama dos caminhos
e bocas rasgadas entoando canções...
Um grupo estranho como eu nunca vi,
trazendo homens e mulheres e crianças.
E vinham de longe,
vinham mesmo do fundo da vida
que mo diziam suas bocas brandindo revoltas
que mo diziam suas canções salgadas de esperança
que mo diziam seus olhos onde visões selvagens coalharam.

Passou-me à porta este grupo banhado do luar
da morna noite de África.
E trouxe-me consigo todo um mundo esquecido
e recordações familiares
de palmares dormindo no fundo do pensamento
de visões verdes de bananais e fogueiras semi-extintas...
E um vento de monção as espevitou e sacudiu
e riscou relâmpagos nos céus negros do olvido...
E uma artéria estremeceu em mim
e logo todas as artérias palpitaram dolorosamente
e o sangue me aqueceu e borbulhou e gritou: IRMÃOS!

Mãe:
Por que foi que me encerraste na alvenaria
desse quarto fechado a todo o mundo,

por que me ergueste muros protectores[9]
e me separaste de meus irmãos
e me vestiste de camadas de sedas
e me ataste fitas azuis no cabelo?
Porquê, Mãe?
Porque me defendeste no egoísmo do teu amor
e me afastaste do perigo do lá fora?
Oh, Mãe, porque me arrancaste à Vida?
O teu egoísmo transformou-me em cadáver
de laços no cabelo e vestidos de seda
e paredes de alvenaria servindo de jazigo...
E eu queria, oh queria ir, nua, no grupo estranho
que me passou à porta,
soltando ao luar canções salgadas de esperança
e cabeças se desgrenhando ao vento...
Queria rasgar as sedas nas piteiras dos caminhos,
endurecer os pés na lama "copulada" dos trilhos
despedaçar os laços dos cabelos aos ventos do Índico!

Mãe:
queria erguer minha voz doce e trémula
junto ao corpo seguro, feito de mil clamores físicos,
do grupo maravilhoso que me passou à porta!
Queria derrubar meu jazigo de alvenaria
queria descer aos trilhos lamacentos,
queria sentir o aguilhão da mesma revolta,
queria sentir esse gosto indefinível de luta,
queria sofrer e gemer e lutar
para conquistar a Vida!

Oh Mãe!
porque me roubaste tudo isto?

10/10/1949

---

9 protetores: Acordo Ortográfico da Língua Portuguesa, 1990

Se este poema fosse...

Se este poema fosse mais do que simples
sonho de criança...
Se nada lhe faltasse para ser total realidade
em vez de apenas esperança...
Se este poema fosse a imagem crua da verdade,
eu nada mais pediria à vida
e passaria a cantar a beleza garrida
das aves e das flores
e esqueceria os homens e as suas dores...
– Se este poema fosse mais do que mero
sonho de criança.

Ai o meu sonho...
Ai a minha terra moçambicana erguida
com uma nova consciência, digna e amadurecida...
A minha terra cortada em toda a sua extensão
por todas essas realizações que a civilização
inventa para tornar a vida humana mais feliz...
Luz e progresso para cada povoação perdida
no sertão imenso, escolas para as crianças,
para cada doente, a assistência da ciência consoladora,
para cada braço de homem, uma lida
honrada e compensadora,
para cada dúvida uma explicação,
e para os Homens, Paz e Fraternidade!

Ah, se este poema fosse realidade
e não apenas esperança!
Ah, se fosse o destino da nova humanidade

não mais me inquietaria e eu passaria
a cantar então a beleza das flores,
das aves, do céu, de tudo o que é futilidade
porque então a dor humana não existiria,
nem a infelicidade, nem a insatisfação,
na nova vida plena de harmonia!

29/05/1949

Instantâneo

Na montra
a manta desdobrava-se, macia,
em cada dobra uma promessa terna
para teu corpo emergindo de farrapos de serapilheira.
Chovia.
Uma chuva fina, constante, fria.
E vultos rodavam à tua volta, perdidos na névoa,
tão distantes nas suas gabardinas
do desejo irresistível que te acorrentou à montra.
Teus pés descalços, cortados, calejados,
mergulhavam calmamente nas poças de água do passeio,
descansando do inferno causticante do cais,
e tuas enormes mãos de negro
encontraram aconchego inconsciente
no ninho quente dos braços cruzados.

Foi quando teu olhar se ergueu,
trazendo ainda gotas de reflexos maravilhados
da tentação da lã, tão perto,
quase ao alcance fácil das tuas mãos,
(só ao alcance verdadeiro dos teus olhos!)

Foi quando teu olhar se ergueu,
terrivelmente consciente,
com setas de acusação, de desespero, de raiva
(havia punhos cerrados, ranger de dentes, pragas mudas)
mas principalmente de raiva,
principalmente de raiva!

Foi quando teu olhar se ergueu,
terrível, de que fundos, de que universos perdidos?
e prendeu o meu.
Que morse estranho, novo, me transmitiu nesse breve segundo
toda a biografia da nossa raça?
No momento de Verdade,
perante a mensagem desesperada,
todo o meu sangue, desde a sua raiz mais antiga, estremeceu.

E desde essa tarde,
nunca mais dormi serenamente nas noites frias.
Teu olhar imenso como um universo de dor
persegue-me a toda hora, povoa-me todos os minutos.
Nunca mais descansei sobre os meus dias.
Dias que tornei cheios de poemas vividos,
nesta ânsia sem medida que nunca mais me abandonou
de transformar o teu olhar, irmão,
torná-lo uma realidade brilhante de alegria,
e principalmente sem raiva, sem raiva!
Dias que tornei cheios
levando o teu olhar a corações fechados de egoísmo
multiplicando sua mensagem pela cidade inteira,
levando insónias e remorsos a noites serenas,
levando tempestades de gritos e panfletos de miséria
a toda a parte!

Dias que transformei em dádiva,
para te criar um olhar novo, irmão –
um olhar sem raiva, principalmente sem raiva!

19/05/1951

Munhuana
1951

Porquê

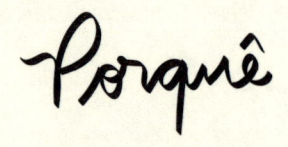

Por que é que as acácias de repente
floriram flores de sangue?
Por que é que as noites já não são calmas e doces,
por que são agora carregadas de electricidade[10]
e longas, longas?
Ah, por que é que os negros já não gemem,
noite fora,
Por que é que os negros gritam,
gritam à luz do dia?

11/1949

---

10 eletricidade: Acordo Ortográfico da Língua Portuguesa, 1990.

Canção fraterna

Irmão negro de voz quente
o olhar magoado,
diz-me:
Que séculos de escravidão
geraram tua voz dolente?
Quem pôs o mistério e a dor
em cada palavra tua?
E a humilde resignação
na tua triste canção?
E o poço da melancolia
no fundo do teu olhar?

Foi a vida? o desespero? o medo?
Diz-me aqui, em segredo,
irmão negro.

Porque a tua canção é sofrimento
e a tua voz, sentimento
e magia.
Há nela a nostalgia
da liberdade perdida,
a morte das emoções proibidas,
e saudade de tudo que foi teu
e já não é.

Diz-me, irmão negro,
quem a fez assim...
Foi a vida? o desespero? o medo?

Mas mesmo encadeado, irmão,
que estranho feitiço o teu!
A tua voz dolente chorou
de dor e saudade,
gritou de escravidão e veio murmurar à minha alma em ferida
que a tua triste canção dorida
não é só tua, irmão de voz de veludo
e olhos de luar...
Veio, de manso murmurar
que a tua canção é minha.

01/12/1948

Negra

Gentes estranhas com seus olhos cheios doutros
[mundos
quiseram cantar teus encantos
para elas só de mistérios profundos,
de delírios e feitiçarias...
Teus encantos profundos de África.

Mas não puderam.
  Em seus formais e rendilhados cantos,
   ausentes de emoção e sinceridade,
    quedaste-te longínqua, inatingível,
     virgem de contactos mais fundos.
      E te mascararam de esfinge de ébano,
                    [amante sensual,
       jarra etrusca, exotismo tropical,
        demência, atração, crueldade,
         animalidade, magia...
        e não sabemos quantas outras palavras
                      [vistosas e vazias.

     Em seus formais cantos rendilhados
        foste tudo, negra...
          menos tu.

E ainda bem.
Ainda bem que nos deixaram a nós,
do mesmo sangue, mesmos nervos, carne, alma,
sofrimento,
a glória única e sentida de te cantar
com emoção verdadeira e radical,
a glória comovida de te cantar, toda amassada,
moldada, vazada nesta sílaba imensa e luminosa: MÃE.

25/07/1949

Irmãozinho negro tem um papagaio de papel

O papagaio é de papel,
tem a cor viva do caju maduro
e é brilhante como o sol do poente.
O papagaio é de papel
e voa, voa para o céu

arrastado pelo vento...
e a longa cauda enfeitada
dança um bailado oriental, lento
como o serpentear da cobra mamba...

Irmãozinho negro de cabeça redonda
de umbigo saliente
e olhar curioso...
Irmãozinho negro de olhar curioso tem
o papagaio bem preso e seguro
pelo fio,
na mãozinha quente.

Irmãozinho negro é pobrezinho, não tem nada de seu...
Só o papagaio de papel
que voa, voa para o céu,
como um sol ou uma estrela...

Aí, irmãozinho negro é pobrezinho, mas também
sonha, também coitadinho!
Sonha que há de ir além

ao céu, no papagaio que é como uma estrela...
E que há de brincar com tanta coisa linda
que ele adivinha lá longe e nunca viu...

Aí, irmãozinho negro é pobrezinho,
não tem nada seu...
Só um papagaio de papel,
tão belo e brilhante como uma estrela cadente,

Um papagaio de papel
que voa, voa, voa,
e não leva consigo irmãozinho negro.

30/06/1949

Lição

Ensinaram-lhe na missão,
quando era pequenino:
"Somos todos filhos de Deus; cada Homem
é irmão doutro Homem!"

Disseram-lhe isto na missão,
quando era pequenino,

Naturalmente,
ele não ficou sempre menino:
cresceu, aprendeu a contar e a ler
e começou a conhecer
melhor essa mulher vendida
– que é a vida
de todos os desgraçados.

E então, uma vez, inocentemente,
olhou para um Homem e disse "Irmão..."
Mas o Homem pálido fulminou-o duramente
com seus olhos cheios de ódio
e respondeu-lhe: "Negro".

L. M.[11] 27/05/1949

---

11 Lourenço Marques, nome de Maputo, capital de Moçambique, durante o domínio português, até sua independência, em 1975.

Patrão

Ao Saúl Sende

Patrão, patrão, oh meu patrão!
Porque me bates sempre, sem dó,
com teus olhos duros e hostis,
com tuas palavras que ferem como setas,
com todo o teu ar de desprezo motejador
por meus atos forçadamente servis,
e até com a bofetada humilhante da tua mão?

Oh, mas porquê, patrão? Diz-me só:
que mal te fiz?
(Será o ter eu nascido assim com esta cor?)

Patrão, eu nada sei... Bem vês
que nada me ensinaram,
só a odiar e a obedecer...
Só a obedecer e a odiar, sim!
Mas quando eu falo, patrão, tu ris!
e ri-se também aquele senhor
patrão Manuel Soares do Rádio Clube...
Eu não percebo o teu português,
patrão, mas sei o meu landim,
que é uma língua tão bela
e tão digna como a tua, patrão...
No meu coração não há outra melhor,
tão suave e tão meiga como ela!
Então porque te ris de mim?

Ah patrão, eu levantei
esta terra mestiça de Moçambique
com a força do meu amor,
com o suor de meu sacrifício,
com os músculos da minha vontade!
Eu levantei-a, patrão
pedra por pedra, casa por casa,
árvore por árvore, cidade por cidade,
com alegria e com dor!
Eu a levantei!

E se o teu cérebro não me acredita,
pergunta à tua casa quem fez cada bloco seu,
quem subiu aos andaimes,
quem agora limpa e a põe tão bonita,
quem a esfrega e a varre e a encera...
Pergunta ainda às acácias vermelhas e sensuais
como os lábios das tuas meninas,
quem as plantou e as regou,
e, mais tarde, as podou...
Perguntas a todas a essas largas ruas citadinas,
Simétricas e negras e luzidias
quem foi que as alcatroou,
indiferente à malanga de sol infernal...
E também pergunta quem as varre ainda,
manhã cedo, com a cacimba a cobrir tudo...
Pergunta quem morre no cais
todos os dias – todos os dias –,
para voltar a ressuscitar numa canção...
E quem é escravo nas plantações de sisal
e de algodão,
por esse Moçambique além...
O sisal e o algodão que hão de ser "pondos" para ti
e não para mim, meu patrão...

E o suor é meu,
a dor é minha,
o sacrifício é meu,
a terra é minha
e meu também é o céu!

E tu bates-me, patrão meu!
Bates-me...
E o sangue alastra, e há-de ser mar...
Patrão, cuidado,
que um mar de sangue pode afogar
tudo... até a ti, meu patrão!
Até a ti...

14/06/1949

Magaíça

A manhã azul e ouro dos folhetos de propaganda
engoliu o mamparra,
entontecido todo pela algazarra
incompreensível dos brancos da estação
e pelo resfolegar trepidante dos comboios,
tragou seus olhos redondos de pasmo,
seu coração apertado na angústia do desconhecido
sua trouxa de farrapos
carregando a ânsia enorme, tecida
dos sonhos insatisfeitos do mamparra.

E um dia,
o comboio voltou arfando, arfando...
oh Nhanisse, voltou!
E com ele, magaíça,
de sobretudo, cachecol e meia listrada
é um ser deslocado,
embrulhado em ridículo.

Às costas – ah, onde te ficou a trouxa de sonhos, magaíça? –
trazes as malas cheias do falso brilho
dos restos da falsa civilização do compound do Rand.
E na mão,
Magaíça atordoado acendeu o candeeiro,
à cata das ilusões perdidas,
da mocidade e da saúde que ficaram soterradas,
lá nas minas do Jone...

A mocidade e saúde,
as ilusões perdidas
que brilharão como astros no decote de qualquer lady
nas noites deslumbrantes de qualquer City.

07/01/1950

Zampungana

Ó noite, minha mãe carinhosa
com tua quente capulana negra!
Ai embrulha-me bem, noite,
ai embrulha-me tão bem,
que só tu e mais ninguém
sejas testemunha da minha humilhação,
Torna-me sombra anónima e irreconhecível,
apaga os lumes que acendeste no céu,
diz à nossa irmã lua que se esconda e não me olhe tanto
com seu doce rosto horrorizado...
Que só tu fiques, noite, só tu,
silenciosa, compreensiva,
com tua capulana negra tudo encobrindo.

E deixa deslizar, sombra ou xipócué,
pelos caminhos perdidos das Munhuanas...
Que só tu me vejas, só tu me sigas,
passo a passo, cúmplice e material,
enquanto cumprir meu destino irremediável de besta humana.
E eu sombra, e eu fantasma, e eu animal,
de latrina em latrina,
arrepiado até às raízes da alma,
vómitos de náusea recalcados
(e a revolta subindo em maré cheia, subindo)
carregarei à cabeça, enlouquecido,
as latas de excrementos, excrementos, excrementos!

Ó noite, ó minha mãe,
oh cobre-me tu com tua capulana de ternura...
oh acalenta-me com tua escuridão de abraço...

e diz-me que há infelicidade maior
e mostra-me que há degradação pior
do que esta minha humilhação sem nome...

Em meu corpo,
o odor nunca findo dos excrementos
carregados em gesto que nunca será maquinal.
Em minha alma,
sempre o arrepio do horror
do meu próprio asco dia a dia renovado.

Zampungana me chamam meus irmãos
com seus rostos negros amarrados de enjoo,
E até as mais baixas mulheres me recusam,
e até os cães me ladram,
até as crianças me têm medo
e até a vida me repudia!

Eu, só excremento,
Minhas mãos, meu corpo, meus olhos, meu dinheiro,
minha vida,
ai excremento, excremento, excremento!

Zampungana me chamam...
Mas também sou um homem, noite,
também tenho direito à vida aberta a todos se ofertando,
também sofro o peso da mesma escravidão,
também me revolto contra este destino que me deram,
também quero sentir cegar-me com seu forte clarão
essa luz maravilhosa que está nascendo para todos
essa luz radiosa e libertadora que nem sei donde vem
nem nunca vi,
mas que adivinho diferente de todas as outras!

19/08/1949

Cais

O cais é um gigante
sugando esforços, violentamente...
O cais negro e chispante
é a nossa vida e o nosso inferno.

Sobre os nossos ombros potentes, retesados,
o suor rasgou nascentes
e abriu leitos entre os nossos músculos encordoados...
E "aí, pachiça", os fardos pesados
como o mundo,
Multiplicam-se e crescem espantosamente,
cada vez mais...

Só o suor viscoso e abundante,
só o suor
que nos banha o dorso e o torna brilhante
como bronze brunido,
nos alivia, como se consolador
choro de lágrimas fosse...

Nos nossos olhos cansados,
há desesperos e revoltas.
E com um último resto esfarrapado de esperança,
interrogamos ansiosamente o mar.
Mas o mar – ai! o mar – continua fechado
à inquieta interrogação do nosso olhar...

E os fardos, sempre mais pesados...
E sol, como um milhão
de agulhas picando nosso dorso luzente
de suor...
nada mais.

Mar:

Se tu nos abandonaste nesta hora,
quem nos dará, agora,
coragem, mar?
Quem nos emprestará força e esperança
para continuar?

Ah! Só tu, canção sem fim
dos desesperados,
só tu, voz da nossa alma!

Ergue-te a pino,
ergue-te a prumo sobre o pó, canção,
sobre o cais infernal, sobre os fardos nunca findos,
sobre o egoísmo da cidade cruel e imensa, dormindo
ao Sol – farta e contente –,
sobre o velho mar cansado,
sobre o mundo, sobre a vida...

E canta!
Cada vez mais forte,
canta a canção escrava do nosso destino!
Abafando todos os ruídos,
alheio a todas as fraquezas,
canta, coração!

Canta, canção dorida!
Canta!

L. Marques[12] 21/03/1949

---

12 Lourenço Marques, nome de Maputo, capital de Moçambique, durante o domínio português, até sua independência, em 1975.

Moças das docas
a Duarte Galvão

Somos fugitivas de todos os bairros de zinco e caniço.
Fugitivas das Munhuanas e dos Xipamanines,
viemos do outro lado da cidade
com nossos olhos espantados,
nossas almas trancadas,
nossos corpos submissos escancarados.
De mãos ávidas e vazias,
de ancas bamboleantes lâmpadas vermelhas se acendendo,
de corações amarrados de repulsa,
descemos atraídas pelas luzes da cidade,
acenando convites aliciantes
como sinais luminosos na noite,

Viemos...
Fugitivas dos telhados de zinco pingando cacimba,
do sem sabor do caril de amendoim quotidiano,
do doer de espádua todo o dia vergadas
sobre sedas que outras exibirão,
dos vestidos desbotados de chita,
da certeza terrível do dia de amanhã
retrato fiel do que passou,
sem uma pincelada verde forte
falando de esperança,

Viemos...
E para além de tudo,
por sobre Índico de desespero e revoltas,
fatalismos e repulsas,

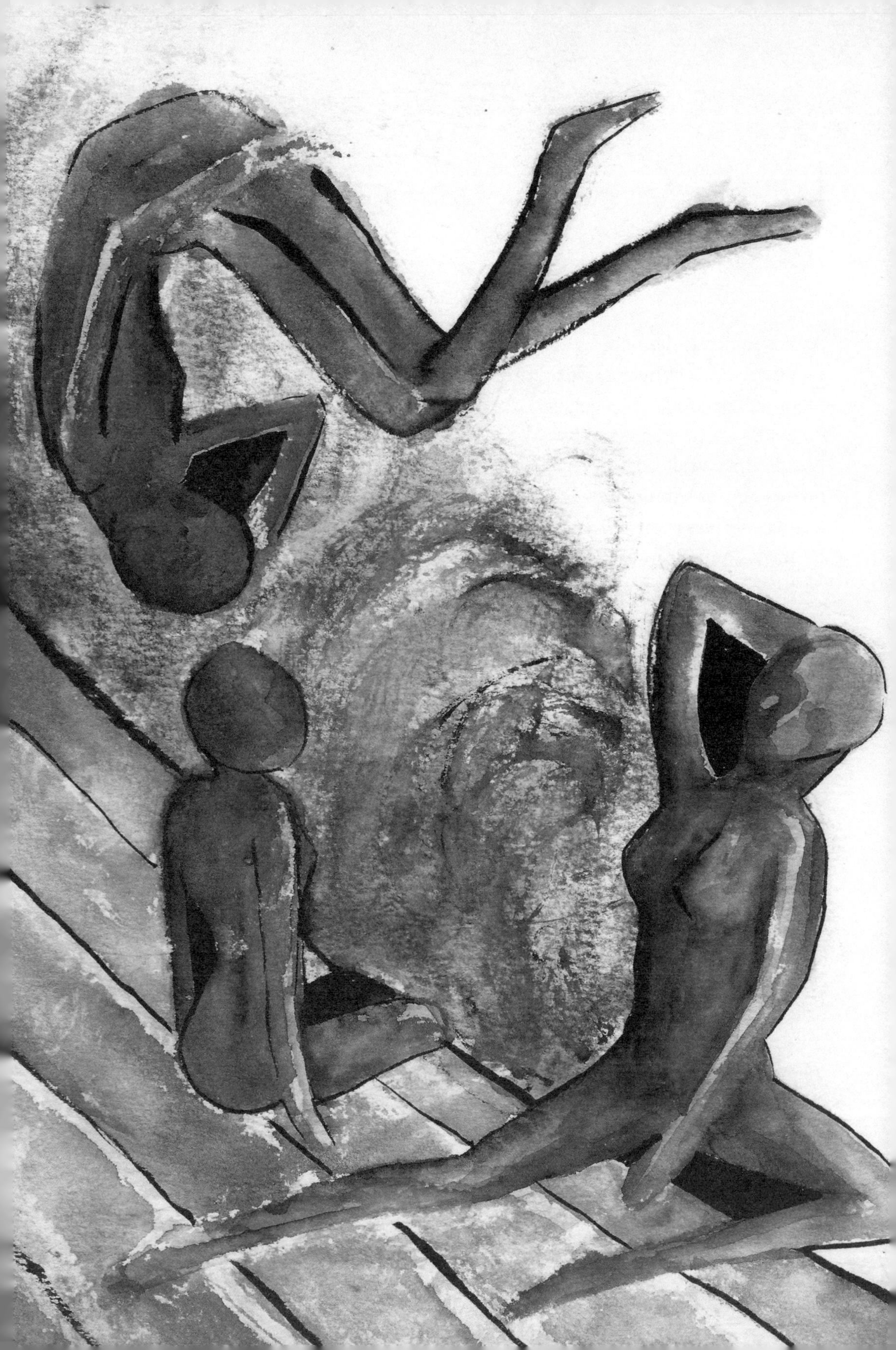

trouxemos esperança.
Esperança de que a xituculumucumba já não virá
em noites infindáveis de pesadelo,
sugar com seus lábios de velha
nossos estômagos esfarrapados de fome,
E viemos.
Oh sim, viemos!
Sob o chicote da esperança,
nossos corpos capulanas quentes
embrulharam com carinho marítimos nómadas de outros portos,
saciaram generosamente fomes e sedes violentas...
Nossos corpos pão e água para toda a gente.

Viemos...
Ai mas nossa esperança
venda sobre nossos olhos ignorantes,
partiu desfeita no olhar enfeitiçado de mar
dos homens loiros e tatuados de portos distantes,
partiu no desprezo e no asco salivado
das mulheres de aro de oiro no dedo,
partiu na crueldade fria e tilintante das moedas de cobre
substituindo as de prata,
partiu na indiferença sombria de caderneta...

E agora, sem desespero nem esperança,
seremos em breve fugitivas das ruas marinheiras da cidade...

E regressaremos,
Sombrias, corpos floridos de feridas incuráveis,
rangendo dentes apodrecidos de tabaco e álcool,
voltaremos aos telhados de zinco pingando cacimba,
ao sem sabor do caril de amendoim
e ao doer do corpo todo, mais cruel, mais insuportável...

Mas não é a piedade que pedimos, vida!
Não queremos piedade
daqueles que nos roubaram e nos mataram
valendo-se de nossas almas ignorantes e de nossos corpos macios!
Piedade não trará de volta nossas ilusões
de felicidade e segurança,
não nos dará os filhos e o luar que ambicionávamos.
Piedade não é para nós.

Agora, vida, só queremos que nos dês esperança
para aguardar o dia luminoso que se avizinha
quando mãos molhadas de ternura vierem
erguer nossos corpos doridos submersos no pântano,
quando nossas cabeças se puderem levantar novamente
com dignidade
e formos novamente mulheres!

/1949

Apelo

Quem terá estrangulado a tua voz cansada
de minha irmã do mato?
De repente, seu convite à ação
perdeu-se no fluir constante dos dias e das noites.
Já não me chega todas as manhãs,
fatigada da longa caminhada,
quilómetros e quilómetros sumidos
no eterno pregão: "MACALA"!

Não, já não me vem, molhada ainda da cacimba
ajoujada de filhos e de resignação...
Um filho nas costas e outro no ventre
– Sempre, sempre, sempre!
E um rosto resumido no olhar sereno,
um olhar que não posso recordar sem sentir
minha pele e meu sangue desfraldarem-se, trémulos,
palpitando descobrimentos e afinidades...
– Mas quem terá proibido seu olhar imenso
de vir alimentar-me esta fome de fraternidade
que minha mesa pobre não consegue nunca saciar?

Iô mamanê, quem terá fuzilado a voz heróica[13]
de minha irmã do mato?
Que desconhecido e cruel cavalo-marinho
a terá fustigado até matá-la?
– A seringueira do meu quintal está florida.
Mas há um mau presságio em suas flores roxas,
em seu perfume intenso, bárbaro;

---

13 heroica: Acordo Ortográfico da Língua Portuguesa, 1990.

e a capulana de ternura que o sol estendeu
sobre a leve esteira de pétalas
aguarda desde o verão que o filhinho de minha irmã
se venha nela deitar...
Em vão, em vão,
e um xirico canta, canta, poisando no caniço do quintal,
para o filhinho de minha irmã,
para o filhinho de minha irmã ausente,
vítima das madrugadas nevoentas do mato.

Ah, eu sei, eu sei: da última vez, havia um brilho
de adeus nos olhos ternos,
e a voz era quase um sussurro rouco,
desesperado e trágico...

Ó África, minha mãe-terra, diz-me tu:
Que foi feito de minha irmã do mato,
que nunca mais desceu à cidade com seus filhos eternos
(um nas costas, outro no ventre),
com seu eterno pregão de vendedora de carvão?
Ó África, minha mãe-terra,
ao menos tu não abandones minha irmã heróica[14],
perpetua-a no monumento glorioso dos teus braços!

21/05/1951

---

14 heroica: Acordo Ortográfico da Língua Portuguesa, 1990.

Samba

ao Ricardo, lembrança da noite de 19/11/49
(lembras-te?) que passámos no Brasil...

No oco salão de baile
cheio das luzes fictícias da civilização
dos risos amarelos
dos vestidos pintados
das carapinhas desfrisadas da civilização
o súbito bater de jazz
soou como um grito de libertação,
como uma lança rasgando o papel da celofane das composturas forçadas.
Depois,
veio o som grave do violão
a juntar-lhe o quente latejar das noites
de mil ânsias de Mãe-África,
e veio o saxofone
e o piano
e as maracas matraqueando ritmos de batuque,
e todo o salão deixou a hipocrisia das composturas encomendadas
e vibrou.
Vibrou!

As luzes fictícias deixaram de existir.
E quem foi que disse que não era o luar dos xingombelas,
aquela luz suave e quente que se derramou no salão?
Quem disse que as palmeiras e os coqueiros,
os cajueiros,
os canhoeiros,
não vieram com suas silhuetas balouçantes
rodear o batuque?
Ah, na paisagem familiar,

os risos se tornaram brancos como mandioca
os requebros na dança traziam a febre primitiva
de batuques distantes,
e os vestidos brilhantes da civilização desapareceram
e os corpos surgiram vitoriosos,
sambando e chispando,
dançando, dançando...

Oh ritmos fraternos do samba,
trazendo o feitiço das macumbas,
o cavo bater das marimbas gemendo
lamentos despedaçados de escravo,
oh ritmos fraternos do samba quente da Baía!
Pegando fogo no sangue inflamável dos mulatos
fazendo gingar os quadris dengosos das mulheres,
entornando sortilégios e loucura
nas pernas bailarinas dos negros...

Ritmos fraternos do samba,
herança de África que os negros levaram
no ventre sem sol dos navios negreiros
e soltaram, carregados de algemas e saudade,
nas noites mornas do Cruzeiro do Sul!
Oh ritmos fraternos do samba,
acordando febres palustres no meu povo
embotado das doses do quinino europeu...
Ritmos africanos do samba da Baía,
com maracas matraqueando compassos febris
– Que é que a baiana tem, que é –
violões tecendo sortilégios xicuembos
e atabaques soando, secos, soando...

Oh ritmos fraternos do samba!
Acordando o meu povo adormecido à sombra dos embondeiros,

dizendo na sua linguagem encharcada de ritmos
que as correntes dos navios negreiros não morreram não,
só mudaram de nome,

mas ainda continuam,
continuam,
os ritmos fraternais do samba!

23/11/1949

O homem morreu na terra do algodão

ao Fonseca Amaral

Na terra do algodão
a vida foi-se no sangue jorrado
da boca em rictos de amargura
e desilusão
a vida foi-se no sangue jorrado...

Mas o algodão continuou
a florir todos os anos em beleza e brancura...
suas leves nuvens sedosas
ainda mais brancas se tornaram,
mais brancas que a lua
brancas, cruelmente brancas, de brancura luminosa e pura,
sem mistura...

A vida foi-se no sangue jorrado...
E nem o sangue jorrado
veio tingir num grito de revolta e dor
a brancura tão pura
das nuvenzinhas de algodão!
Nem o sangue jorrado...

Toda a noite, todo o dia
o vento passa
e repassa
sonolento e pesado calor
abanando com doçura

a cabeça macia
das alvas plantas de algodão...

E nem o sangue jorrado...
Mas vem aí a madrugada,
vem aí o sol sangrento da madrugada
entornar o vermelho forte do sangue dos homens bons
sobre a terra amaldiçoada dos tiranos...
E as bolas macias do algodão
vão embeber-se todas, com volúpia;
Do vermelho do sangue jorrado
da boca do homem que morreu escravizado
na terra negra do algodão...
E vão ficar rubras, rubras, em sangue ensopadas,
as nuvenzinhas brancas, brancas do algodão!

E falarão
da escravidão sem fim dos homens bons
de rosto inocente e cabeças vergadas
que morreram assassinados na terra do algodão!

26/06/1949

Dia a dia

Dia a dia,
o pulso à roda de tudo
se aperta mais e mais...

Dia a dia,
grades e grades se forjam
tapando o sol de toda a gente.

Dia a dia,
do fundo da noite em que nos estorcemos
mais e mais se sente
a certeza radiosa duma esperança...

22/11/1949

Livro de João

Poema
ao J. M.

Aqui tens o meu poema, irmão.

Meu poema insuficiente e baço,
palavras, sangue, emoção,
grito que se soltou do fundo das veias
e ficou pairando feito estandarte...
– meu poema fogueira de negros solitários
acesa à beira da mata em noite de frio e escuridão,
meu poema seta e azagaia para os combates da vida
meu poema alma mulata amassada em dor e revolta,
marcada a ferro e fogo desde subterrâneos desconhecidos
meu poema mão aberta estendida para o mundo
meu poema fraterno, torturado,
aí meu poema solitário, insuficiente e baço,
aqui o tens, irmão.

E é todo ele para ti,
irmão branco de olhos escancarados
para os Zambezes de misérias e injustiças correndo em caudal
por esse mundo fora...

Porque desde que te levaram, irmão,
desde que te amordaçaram
e te manietaram
e te isolaram
– a ti, filho do povo, irmão das multidões! –
desde que te levaram,
a vida abriu a boca de espanto
e a catedral do céu ficou aguardando suspensa
o retorno de reboar desse órgão mil vezes humano

que é o som feroz da tua voz imensa
gritando nosso grito erguido em archote contra a noite conformista,
da cidade egoísta,
ficou aguardando o som inesquecível da tua voz irmã
seta envenenada disparada contra o alvo branco da tirania,
da violência, da opressão e da cobardia!
desde que te levaram...

E até nossa irmã a lua se escondeu arrepiada
nas dobras imensas da capulana negra da noite sem estrelas
e até são cada vez mais tristes, mais escravas, mais fatalistas,
as canções suadas dos xibalos no cais
e até a cidade perdeu seu ar de ansiedade
por essa manhã próxima que teu grito estandarte prometia e até
os jovens nossos irmãos caminham de olhos amarrados ao chão
com receio de erguer suas balas iluminadas
e até as correntes invisíveis que arrastamos
se multiplicaram e engrossaram mais
– tudo desde que te levaram...

Apesar de tudo, irmão,
companheiro querido de todas as lutas,
nada conseguirá quebrar nossa marcha firme para o futuro.
Nada!
E não consentiremos que se abafe teu grito humano,
recortado em revolta e esperança;
não deixaremos que sejam cruelmente amputadas
tuas mãos abertas e estendidas;
não assistiremos impassíveis ao esvaziar frio
de teus olhos compreensivos;
e perante o roubo mil vezes brutal que nos fizeram de ti
da tua alma rubra de lutador
não nos quedaremos inativos!
Lutaremos, irmão!

E mesmo ausente, emparedado embora,
tu estarás ao nosso lado, cá fora,
Estarás em nós,
em nossos pensamentos, em nossos atos,
em nossas palavras...
E estarás também em cada rebento novo e ténue
de cada canhoeiro de cada mata,
em cada choro aflito de cada criança
lançada ao mundo em cada esteira de cada palhota
de cada aldeia
em cada ventre inchado de miséria
de cada mufana de olhos esgazeados
em cada injustiça sofrida de olhos baixos
em cada chicotada, em cada esperança,
em cada assomo de revolta,
em cada elo de cada cadeia,
em cada ano de seca
em cada ano de fome,

Ah, irmão branco, mesmo ausente
tu estarás sempre presente
na vida dura que nos rodeia.
Embora de olhos húmidos,
embora de lábios trémulos,
embora de vozes enrouquecidas,
embora de corações sangrando,
– nós ressurgiremos, irmão!
E continuaremos tua luta ingente,
continuaremos tua luta gigantesca,
de dentes cerrados e punhos fincados,
tua luta tremenda para a conquista da vida.

Continuaremos...
E nossas vozes triunfais quebrarão as grades,
pedra por pedra demolirão as paredes em que te isolaram,
nossas vozes tambor ressoarão noite e dia,
sem parar,
e irão falar-te, através de tudo,
da vida viva que não pára[15] nunca,
da luta que prossegue sempre, cada vez mais firme,
cada vez mais certa
no caminho sagrado que nos indicaste,

Lutaremos, irmão!
Ah, lutaremos!

10/09/1949

---

15   para: Acordo Ortográfico da Língua Portuguesa, 1990.

Descobrimento

ao J. Mendes

Quando a tua mão macia e serena de branco
se estendeu fraternalmente para mim
e através de Índico de preconceitos
apertou com carinho meus dedos mulatos enclavinhados;
quando teus olhos inchados de compreensão
pousaram no mapa doloroso do meu rosto de África;
quando a piroga de teu amor se fez ao mar
e veio aportar ao meu peito ensanguentado e céptico[16];
ah, quando a tua voz doce e fresca como um lanho
me trouxe a bandeira branca da palavra "IRMÃ",
é que eu senti, profunda como um selo em brasa
verrumando a carne,
a força terrível e única do nosso abraço fraterno,
a inquebrável cadeia das nossas mãos enfim juntas,
a indestrutível resistência da muralha erguida
por nossas maravilhosas juventudes unidas,

Ah, amigo, quando a tua mão certa e serena de branco
procura o desespero da minha mão sem rumo...

05/10/1949

---

16 cético: Acordo Ortográfico da Língua Portuguesa, 1990.

Carta
ao J. M.

Companheiro branco
desterrado no bojo negro de um navio
a caminho de portos desconhecidos e hostis:
Quero trazer-te com meu poema
um sorriso da nossa terra estranha
mãe negra submissa e doce,
embalando às costas seus filhos de todas as raças...
Quero que lá nessas paragens longínquas,
perto dessa multidão anónima e distante
– dessa multidão branca e diferente –
sintas que teus irmãos te não abandonaram,
que continuam de lanças na mão,
peito aberto a todos os combates de rua.

Companheiro branco,
de sorriso de abraço,
de olhos claros de esperança...
Não queremos que te fiques no caminho,
vencido e cansado, sem um carinho...
Que tu mesmo nos ensinaste
que Povo é sempre Povo, em qualquer pedaço do mapa!
Portanto, que importa que estejas cá ou lá,
se a luta é a mesma em toda a parte?

Só nós poderemos ranger os dentes
e fechar os punhos,
só nós podemos gritar e revoltar-nos
porque fomos roubados!

Porque nos roubaram o nosso irmão mais velho;
aquele que conhecia todos os trilhos abertos na mata
– os melhores e os piores...
Aquele que não receava as mambas dos caminhos,
que trazia o archote na mão
e era mais valente que todos os soldados juntos
do chefe Maguiguana...
Aquele que nós amávamos,
aquele irmão branco
que afinal não era branco nem negro,
porque era simplesmente irmão!

Ah companheiro branco,
mandamos-te com este poema a nossa alma em gratidão...
Mas tu, volta depressa!
Regressa aos nossos braços famintos,
vem espevitar com tua dura palavra de lutador
o lume da fogueira que acendeste naquela noite fria,
quando nos estendeste tua mão aberta de jovem
e nos trouxeste a luminosa certeza da nossa redenção!

24/10/1949

Grito

ao irmão J. M.

Neste anoitecer sangrento de Moçambique
chega-me, segura, a tua voz irmão,
inchada pela distância e pela saudade...
Misturada com os cantos escravos dos negros
regressando do trabalho,
chega-me de longe a tua voz fraterna,
nítida como a lua cheia no espaço,
trazendo-me a mensagem da tua palavra afiada de lutador,
a esperança sempre renovada
de teus olhos iluminados prometendo madrugadas maravilhosas
– ah irmão, quando, quando?
todo o teu rosto vibrando entusiasmos incontidos...

Neste anoitecer tenebroso de Moçambique,
com gemidos de vencidos ameaçando arrasar tudo,
chega-me a tua voz brilhando no escuro
como a estrela d'alva da lenda...
E é estranho como o teu grito, aumentado
em vez de diminuído pela distância,
é mais forte que as vozes submissas,
como as esmaga e as afoga,
como parece mesmo de ferro
quebrando as correntes que alastram cada vez mais...

Ah irmão,
neste anoitecer decisivo e sinistro de
                [Moçambique,

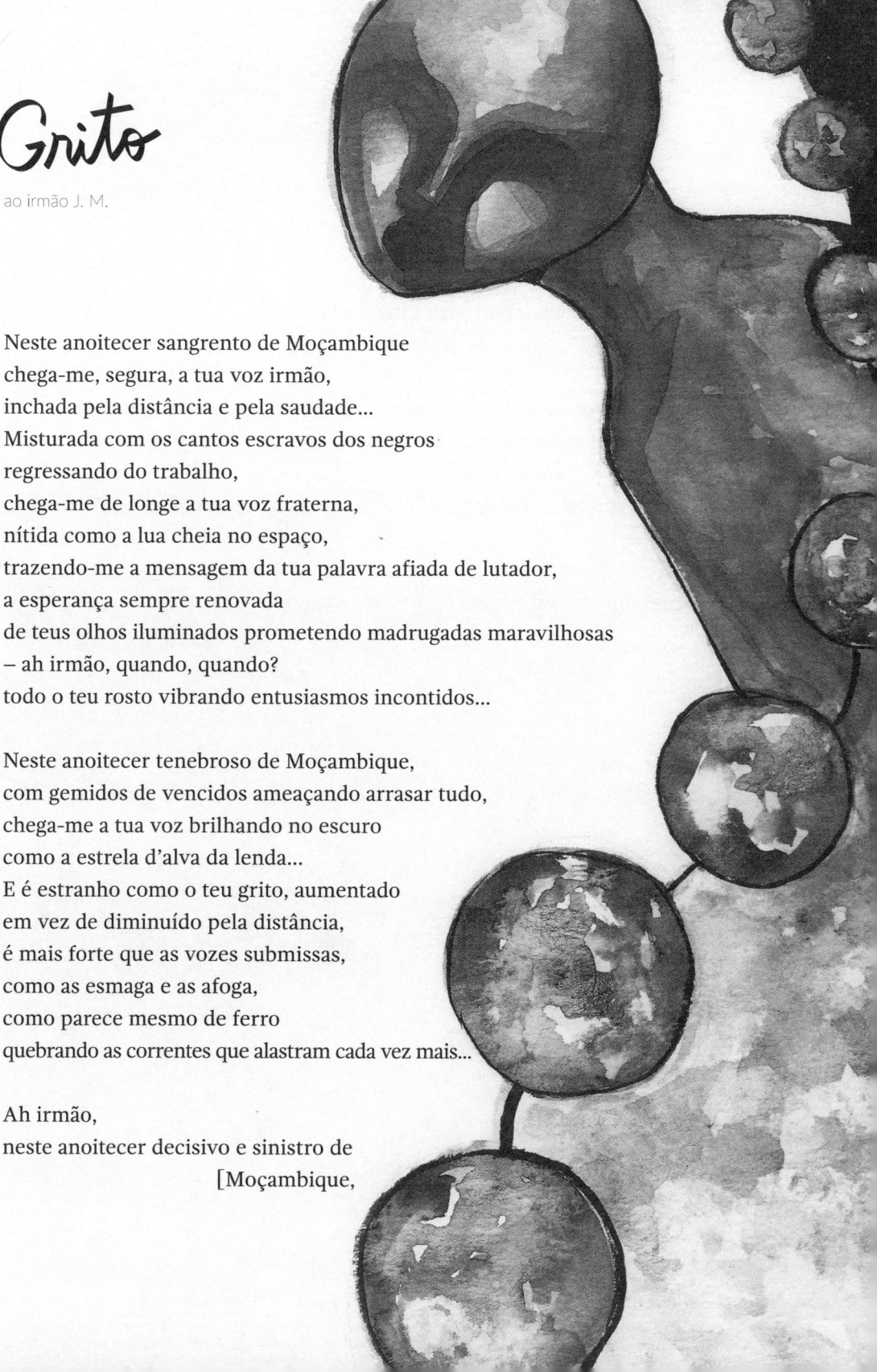

não me abandones!
Manda-me sempre a tua voz de abraço
animando-me a lutar contra os bayetes amolecidos dos landins,
dia a dia mais numerosos...
Como outrora, ai ajuda-me a lutar irmão!
Que a minha alma é maré cheia de lágrimas recalcadas
desde que te arremessaram para a incerteza
do bojo negro dum navio fantasma...

E depois de teres dirigido meus olhos para a incomparável beleza
das estrelas reais, uma a uma nascendo lá fora,
na noite imensa da ansiedade,
– não quero mais a mentira nua das falsas missangas de cor
imitando astros
com que me querem burlar os tiranos de olhar vesgo
e enormes mãos antropófagas gotejando sangue!

Gotejando o teu sangue ainda quente, irmão...

17/10/1949

Um dia

Quando este nosso Sol ardente de África
nos cobrir a todos com a benção do mesmo calor,
quero ir contigo, amigo,
de mãos dadas, deslumbrados,
pelos trilhos abertos da nossa terra estranha,
adubada com sangue e suor de séculos...

Nas machambas,
o ruído repercutido de tractor[17]
soará como uma canção de triunfo.
Nas matas,
as tutas já não serão aves apenas
e no centro da vida,
nosso irmão negro, quebradas as grilhetas,
celebrará seu segundo nascimento
num batuque diferente de todos os outros...

Uma luz clara e doce se abrirá para todos
e nós iremos de mãos dadas,
amigo,
pelos trilhos verdes de Moçambique.

Na noite,
não mais soluçarão, estertoradas,
canções marimbadas por irmãos naufragados
(ô mamanô! ô tatanô!),
não mais a acusação muda dos olhos precoces
de crianças de ventres empinados

---

17 trator: Acordo Ortográfico da Língua Portuguesa, 1990.

não mais jaulas erguidas para os inconformistas
gritando gritos de sangue
através de tudo!

Não mais, noite...
E nós iremos de mãos dadas,
amigo,
pelos trilhos abertos de Moçambique,
mergulhados no clarão eterno do dia infindável.

24/10/1949

Poema de João

João era jovem como nós.

João tinha os olhos despertos,
os ouvidos bem abertos,
as mãos estendidas para a frente,
a cabeça projectada[18] para amanhã,
a boca a gritar "não" eternamente...
João era jovem como nós.

João amava a arte, a leitura,
 amava a Poesia de Jorge Amado,
  amava os livros que tinham alma e carne,
   que respiravam vida, luta, suor, esperança...
    João sonhara com Zambezes de livros derramando cultura
     para a humanidade, para os jovens nossos irmãos,
      João lutou para que todos tivessem livros...
       João amava a leitura.
        João era jovem como nós.

         João era pai, era mãe e irmão das multidões.
          João era sangue e suor das multidões
           e sofria e era feliz com as multidões.
            Sorria o mesmo sorriso cansado das
             [raparigas saindo das lojas,

---

18 projetada: Acordo Ortográfico da Língua Portuguesa, 1990.

sofria com a passividade das mamanas do mudende,
gemia com os negros amarrados ao cais,
sentia o sol picando como piteiras aos meios dias dos pachiças,
arengava com os chinas nas bancas do bazar,
vendia com os monhés o verde desbotado das hortaliças,
chorava com Marian Anderson spirituals vindos de Harlém
bamboleava-se com as marimbas dos muchopes aos domingos,
gritava com os revoltados seu grito de sangue,
era feliz sob a carícia da lua branca como mandioca,
cantava com os xibalos suas canções saudosas de tudo,
e esperava com a mesma ansiedade de todos
pelas madrugadas deslumbrantes que têm uma boca
e cantam!
João era sangue e suor das multidões,
João era jovem como nós.

João e Moçambique confundiam-se.
João não seria João sem Moçambique.
João era como que um coqueiro, uma palmeira,
um pedaço de rocha, um lago Niassa, uma montanha,
um Incomáti, uma mata, uma maçaleira,
uma praia, um Maputo ou um Índico...
João era parte integrante e profunda de Moçambique.
João e Moçambique confundiam-se
e João era jovem como nós.
João queria viver, queria conquistar a vida,
E por isso odiava as jaulas, as gaiolas, as grades,
E odiava os homens que as fizeram.
Porque João era livre,
João era uma águia e nascera para voar.
Ah, João odiava as jaulas e os homens que as fizeram,
e João era jovem como nós.

E porque João era jovem como nós,
e tinha os olhos bem despertos,
e amava a Arte, a Poesia e Jorge Amado,
e era sangue e suor das multidões,
e se confundia com Moçambique,
e era uma águia que nascera para voar,
e odiava as jaulas e os homens que as fizeram,
e porque João era jovem e ardente como nós,
ah, por isso tudo, perdemos João.
Perdemos João!

Ah, por isso perdemos João,
por isso gritamos noite e dia por João,
por João que nos roubaram.

E perguntamos:
Mas por que nos levaram João,
João que era jovem e ardente como nós,
João sedento de vida,
João que era irmão de todos nós?
Por que nos roubaram João
que falava de esperanças e madrugadas,
João que tinha olhar de abraço de irmão,
João de palavra forte e dura como uma lança,
João que tinha sempre alojamento para qualquer de nós,
João que era nossa mãe e nosso pai,
João que seria Cristo por nós,
João que nós amávamos e amamos,
João que é tão nosso?
Oh por que nos roubaram João?

E ninguém responde,
friamente ninguém responde.

Mas nós sabemos, do fundo de tudo,
porque nos levaram João...
João tão nosso irmão!

Mas que importa? Que importa?
Julgam que o roubaram, mas João está connosco,
está nos outros que virão,
está nos que já estão vindo,
Porque João não é só,
João é multidão,
João é sangue e suor de multidões,
E João, sendo João, também é Joaquim, José,
Abdula, Fang, é Mussumbuluco, é Mascarenhas
Omar, Yutang, Fabião...
João é multidão, sangue e suor de multidão...

E quem poderá levar José, Joaquim, Abdula,
Fang, Mussumbuluco, Mascarenhas, Omar, Fabião?
Quem?
Quem poderá levar-nos todos e fechar-nos todos numa jaula?

Ah, roubaram-nos João,
mas João somos nós todos,
por isso João não nos abandonou...
E João não "era", "é" e "será",
porque João somos nós, nós somos multidão,
e multidão,
– quem pode levar multidão e fechá-la numa jaula?

Lourenço Marques, 20/09/1949

Sangue negro

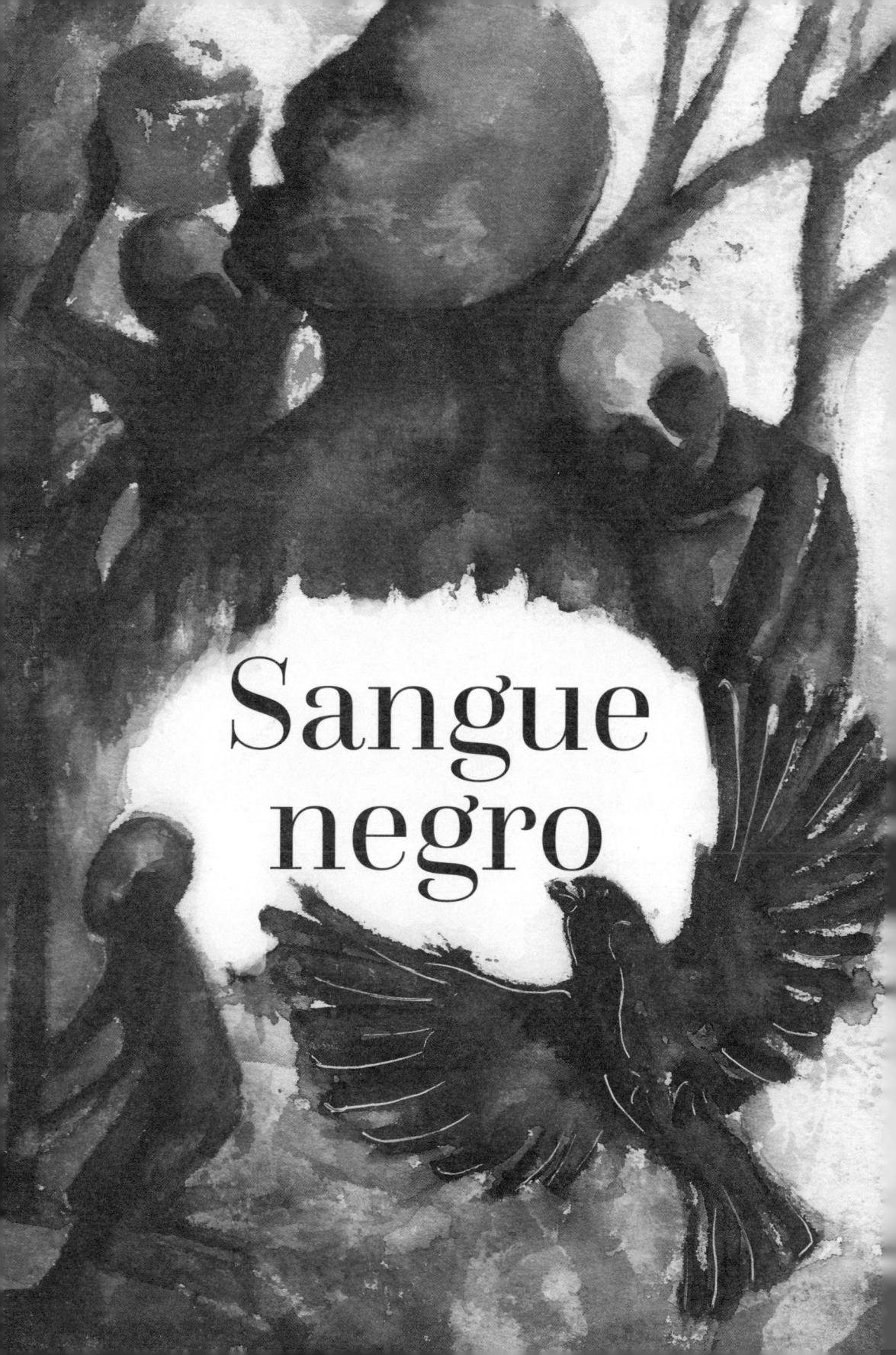

Poesia, não venhas!

Poesia:
Porque vieste hoje,
precisamente hoje, que não te posso receber?

Hoje,
em que tudo tem uma cor
de pesadelo e em que até minha irmã a lua
não veio, com a sua carícia fraterna, dar-me calma?

Oh Poesia,
não, não venhas hoje!

Não vês que a minha alma
não te pode compreender?
Que está fechada,
cercada, fatigada,
e nada mais quer
senão chorar?

Hoje, eu só saberia cantar
a minha própria dor...
Ignoraria
tudo o que tu, Poesia,
me viesses segredar...
E a minha dor,
que é a minha dor egoísta e vazia,
comparada aos sofrimentos seculares
de irmãos aos milhares?

Bem sei que as minhas frouxas lágrimas
nem o mais humilde poema valeriam...

E se tu sabes que é assim, oh! Poesia!
será melhor que fiques lá onde estás,
e não venhas hoje, não!

23/04/1949

Solidão

para Erico Cantro

Ó solidão, não me leves por teus caminhos sombrios,
longos, longos, como braços de fome
dos dias em que secaram os rios.
Enoja-me o contacto viscoso das asas negras
dos morcegos que me roçaram o rosto.
E os céus longínquos, vazios,
saídos dum quadro surrealista de Dali
donde as estrelas desesperadas se precipitaram
– são-me hostis como o cinturão do matangulana,

Solidão, tudo me assusta em ti
e me causa arrepios.
Tu dizes: no fim do caminho longo, longo,
– ou mesmo no meio –
estará o lago parado, rodeado de espiritualidade.
Sim, o lago musical, com nenúfares brancos colados
à superfície lisa da lua estagnada.
Do fundo das águas, as estrelas afogadas
sorrirão tristemente para ti.
E sussurros de Debussy,
doces, doces, subirão para o ar envolventes e mornos.

Solidão, o teu caminho é longo, sombrio,
bordejado de silhuetas desoladas de casuarina,
no seu constante assobio.

E eu não quero os encantos calmos do fim
da tua lagoa maravilhosa, adormecida desde o começo de tudo.

Nem sussurros prateados de Debussy,
nem gemidos de casuarinas, nem fantasmas de estrelas.
Quero esta maré índica de irmãos,
vazando e enchendo à minha volta, a toda a hora,
sempre viva, humana, presente!
Quero este calor sem igual
que me vem de cada palavra, de cada aperto de mão,
das botas cambadas e rotas de Charlot,
de cada presença fraternal!
Quero a música dos tantãs,
seu chamamento insensível e quente,
gargalhadas brandas rasgando a virgindade das manhãs,
risos imensos como este nosso céu de Moçambique,
– Quero o som único das marimbas chopes,
o feitiço estranho da viola cheia de xicuembo do Daíco,
armada toda em poesia,
vazando lágrimas coloridas de melodia
pelos becos nocturnos[19] da Munhuana!

Este é o caminho que eu quero, humano vasto,
esta é a música que eu amo, germinada em revolta e nostalgia.

Solidão, fica-te tu com teu troféu morto
de ímpis perdidas e desalentos.

Eu irei pelos caminhos povoados,
altiva e presente.

26/05/1950

---

19 noturnos: Acordo Ortográfico da Língua Portuguesa, 1990.

Poema para Rui de Noronha
No aniversário da sua morte

Nas matas selvagens da nossa terra natal,
os trilhos abertos a golpes de catana
tomaram uma direcção[20] emocionantemente nova,
única e imutável.
Caminho com picos, ah sim, com espinhos,
mas caminho para nossos pés lanhados,
levando-nos para lá, Poeta...
Ante os novos horizontes abertos em dádiva,
nossas almas passivas aprendem a querer
com força, com raiva,
e se erguem, guerreiras, para a dura luta
e as bocas são uma linha forte e cerrada
no seu não decisivo como sentinela alerta.

Rui de Noronha,
nesta nova África de certezas e forças restauradas,
no meio dos "paixões" e das bebedeiras do Natal,
vens-me tu, torturado e solitário,
ainda projectado[21] para os fundos abismos do teu eu,
mergulhado em verdes precipícios de tédio
e insatisfação...
Vens-me sangrando de teus amores, Poeta,
tens amores inumanos
com desesperos suicidas e orgulhos brâmanes
te tomando toda a vida de Homem.

---

20 direção: Acordo Ortográfico da Língua Portuguesa, 1990.
21 projetado: Acordo Ortográfico da Língua Portuguesa, 1990.

Mas se tu me vens, Poeta,
desarmado e trágico,
eu te recolho fraternamente
na capulana quente da minha compreensão
e te embalo com a música da mais doce canção
ouvida da minha cocuana negra...
E tu dormes, Poeta,
dorme teu sono tão desejado,
repousa em fim dessas fictícias tragédias só tuas,
e não atentes na canção...
Deixa que a sua carícia te sare as feridas,
mas não atentes nela, não!
Que te pode despertar o xipócué do remorso
pois traz em si os feitiços mais poderosos
dos ngomas do Maputo
donde veio minha avó negra.
E talvez te pergunte, docemente:
ah, que fizeste de mim, Poeta,
cego e surdo e insensível,
que fizeste de África, Poeta?
– Que passaste e não a viste?
– Que se ergueu e não a sentiste?
– Que gritou e não a ouviste?
E os remorsos te seriam tão dolorosos
como matacanhas te invadindo o corpo todo, Poeta!

Ai dorme, dorme, Rui de Noronha,
meu irmão,
continua dormindo aprisionado
na palhota maticada do teu eu.
Não atentes na canção – é tarde...

Mas o archote, murcho e fraco,
que tuas mãos diáfanas mal logravam suster,

deixa que nós o levemos!
Embebê-lo-emos na resina das novas ânsias,
espevitá-lo-emos nas nossas fogueiras acesas,
manter-lhe-emos a vida chama
com lume das nossas esperanças sempre renovadas!

E depois, ah depois,
erguidos ao alto da Vida como um estandarte
por nossas brônzeas, fortes mãos
que a sua chama sanguínea de fulgor inextinguível
nos seja guia e inspiração
esporeando a revolta nascida nas veias entumecidas.

Como um cometa
atravessando a noite de nossos peitos esmagados.

25/12/1949

Godido

à memória de João Dias

Dos longes do meu sertão natal,
eu desci à cidade da civilização.
Embriaguei-me de pasmo entre os astros
suspensos dos postes das ruas
e atração das montras nuas
tomou-me a respiração.
Todo esse brilho de névoa, ténue e superficial
que envolve a capital,
me cegou e fez de mim coisa sua.

Quando cheguei,
trazia no olhar a luz verde dos negros simples
e uma dádiva maravilhosa em cada mão.

Mas a cidade, a cidade, a cidade!
Esmagou com os pneus do seu luxo,
sem caridade,
meus pés cortados nos trilhos duros do sertão.
Encarcerou-me numa neblina quase palpável de ódio e desprezo,
e ignorando a luz verde do meu olhar,
a maravilhosa oferta
(essa estrela, esse tesouro) de cada minha mão aberta,
exigiu-me impiedosamente a abdicação
da minha qualidade intangível de ser humano!

Nas noites frias,
sem batuque, sem lua,
as estrelas continuaram brilhando, insensíveis,
através da cacimba, suspensas dos postes da rua.

Minha consolação:
Minha Mãe silenciosa oferecendo-me suas costas nuas,
mornas como sol de inverno...
minha Mãe vencendo a cacimba e a solidão,
para me vir belekar,
humilde e sofredora, com suas tocantes canções de acalentar!

Ah, mas eu não me deixei adormecer!
Levantei-me e gritei contra a noite sem lua,
sem batuque, sem nada que me falasse da minha África,
da sua beleza majestosa e natural,
sem uma única gota da sua magia!
A luz verde incendiou-se no meu olhar
e foi fogueira vermelha na noite fria
dos revoltados.

Ainda grito,
porque quero ser ainda, sempre, pela vida fora,
o que fui outrora:
Rainha nas costas de minha Mãe!

Como tu, meu irmão negro, desorientado e perdido,
na cidade cruel...
Como tu!

Por isso é que este meu canto ingénuo que soa banal,
traz no seu fundo mais fundo, Godido, meu irmão
a marca rubra dum selo fraternal,
constante e imortal!

08/06/1950

Poema

Bates-me e ameaças-me,
agora que levantei minha cabeça esclarecida
e gritei: "Basta!"

Armas-me grades e queres crucificar-me
agora que rasguei a venda cor de rosa
e gritei: "Basta!"

Condenas-me à escuridão eterna
agora que minha alma de África se iluminou
e descobriu o ludíbrio...
E gritei, mil vezes gritei: "Basta!"

Ó carrasco de olhos tortos,
de dentes afiados de antropófago
e brutas mãos de orango:
Vem com o teu cassetete e tuas ameaças,
fecha-me em tuas grades e crucifixa-me,
traz teus instrumentos de tortura
e amputa-me os membros, um a um...
Esvazia-me os olhos e condena-me
        [à escuridão eterna...
– que eu, mais do que nunca,
dos limos da alma,
me erguerei lúcida, bramindo contra tudo:
Basta! Basta! Basta!

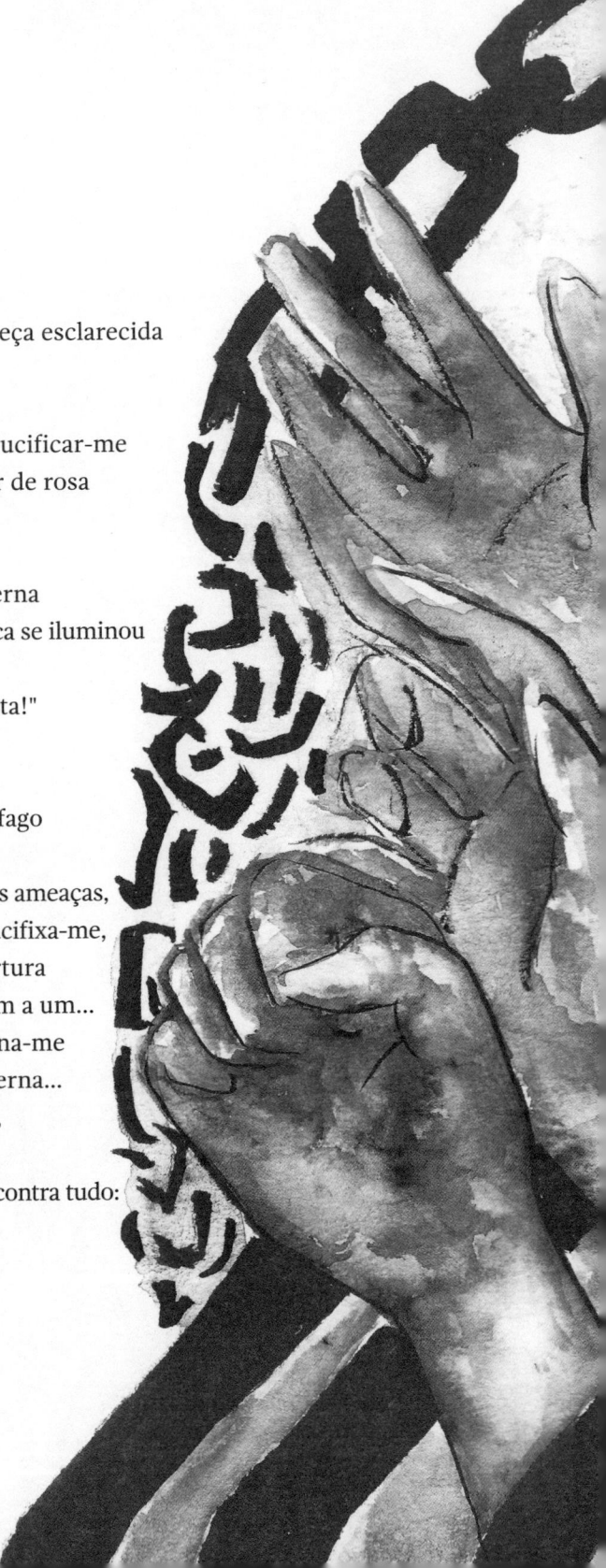

20/10/1949

A Billie Holiday, cantora

Era de noite e no quarto aprisionado em escuridão
apenas o luar entrara, sorrateiramente,
e fora derramar-se no chão.
Solidão. Solidão. Solidão.

E então,
tua voz, minha irmã americana,
veio do ar, do nada, nascida da própria escuridão...
Estranha, profunda, quente,
vazada em solidão.

E começava assim a canção:
"Into each heart some rain must fall..."
Começava assim
e era só melancolia
do princípio ao fim,
como se teus dias fossem sem sol
e a tua alma aí, sem alegria...

Tua voz irmã, no seu trágico sentimentalismo,
descendo e subindo,
chorando para logo, ainda trémula, começar rindo,
cantando no teu arrastado inglês crioulo
esses singulares "blues", dum fatalismo
rácico que faz doer
tua voz, não sei por que estranha magia,
arrastou para longe a minha solidão...

No quarto às escuras, eu já não estava só!
Com a tua voz, irmã americana, veio
todo o meu povo escravizado sem dó
por esse mundo fora, vivendo no medo, no receio
de tudo e de todos...
O meu povo ajudando a erguer impérios
e a ser excluído na vitória...
A viver, segregado, uma vida inglória,
de proscrito, de criminoso...

O meu povo transportando para a música, para a poesia,
os seus complexos, a sua tristeza inata, a sua insatisfação...

Billie Holiday, minha irmã americana,
continua cantando sempre, no teu jeito magoado
os "blues" eternos do nosso povo desgraçado...
Continua cantando, cantando, sempre cantando,
até que a humanidade egoísta ouça em ti a nossa voz,

e se volte enfim para nós,
mas com olhos de fraternidade e compreensão!

24/05/1949

Poema a Jorge Amado

O cais...
O cais é um cais como muitos cais do mundo...
As estrelas também são iguais
às que se acendem nas noites baianas
de mistério e macumba...
(Que importa, afinal, que as gentes sejam moçambicanas
ou brasileiras, brancas ou negras?)
Jorge Amado, vem!
Aqui, nesta povoação africana
o povo é o mesmo também
é irmão do povo marinheiro da Baía,
companheiro Jorge Amado,
amigo do povo, da justiça e da liberdade!

Não tenhas receio, vem!
Vem contar-nos mais uma vez
tuas histórias maravilhosas, teus ABC's
de heróis, de mártires, de santos, de poetas do povo!
Senta-te entre nós
e não deixes que pare a tua voz!
Fala de todos e, cuidado!
não fique ninguém esquecido:
nem Zumbi dos Palmares, escravo fugido,
lutando, com seus irmãos, pela liberdade;
nem o negro António Balduíno,
alegre, solto, valente, sambeiro e brigão;
nem Castro Alves, o nosso poeta amado;
nem Luís Prestes, cavaleiro da esperança;
nem o Negrinho do Pastoreio,

nem os contos sem igual das terras do cacau
– terra mártir em sangue adubada –
essa terra que deu ao mundo a gente revoltada
de Lucas Arvoredo e Lampião!

Ah não deixes que pare a tua voz,
irmão Jorge Amado!
Fala, fala, fala, que o cais é o mesmo,
mesmas as estrelas, a lua,
e igual à gente da cidade de Jubiabá,
– onde à noite o mar tem mais magia,
enfeitiçado pelo corpo belo de Iemanjá –,
vê! igual à tua,
é esta gente que rodeia!
Senão, olha bem para nós,
olha bem!
Nos nossos olhos fundos verás a mesma ansiedade,
a mesma sede de justiça e a mesma dor,
o mesmo profundo amor
pela música, pela poesia, pela dança,
que rege nossos irmãos do morro...
Mesmas são as cadeias que nos prendem os pés e os braços,
mesma a miséria e a ignorância que nos impedem
de viver sem medo, dignamente, livremente...
E entre nós também há heróis ignorados
à espera de quem lhes cante a valentia
num popular ABC...

Portanto, nada receies, irmão Jorge Amado,
da terra longínqua do Brasil! Vê:
Nós te rodearemos
e te compreenderemos e amaremos
teus heróis brasileiros e odiaremos
os tiranos do povo mártir, os tiranos sem coração...

E te cantaremos também as nossas lendas,
e para ti cantaremos
nossas canções saudosas, sem alegria...

E no fim, da nossa farinha te daremos
e também da nossa aguardente,
e o nosso tabaco passará de mão em mão
e, em silêncio, unidos, repousaremos,
pensativamente,
Olhando as estrelas do céu de Verão
e a lua nossa irmã, enquanto os barcos balouçarem brandamente
no mar prateado de sonho...

Jorge Amado, nosso amigo, nosso irmão
da terra distante do Brasil!
Depois deste grito, não esperes mais, não!
Vem acender de novo no nosso coração
a luz já apagada da esperança!

22/05/1949

Bayete

para Rui Knopfli

Ergueste uma capela e ensinaste-me a temer a Deus e a ti.
Vendeste-me o algodão da minha machamba
pelo dobro do preço por que mo compraste,
estabeleceste-me tuas leis
e minha linha de conduta foi por ti traçada.
Construíste calabouços
para lá me encerrares quando te não pagar os impostos,
deixaste morrer de fome meus filhos e meus irmãos,
e fizeste-me trabalhar dia após dia, nas tuas concessões.
Nunca me construíste uma escola, um hospital,
nunca me deste milho ou mandioca para os anos de fome.
E prostituíste minhas irmãs,
e as deportaste para S. Tomé...

– Depois de tudo isto,
não achas demasiado exigir-me que baixe a lança e o escudo
e, de rojo, grite à capulana vermelha e verde
que me colocaste à frente dos olhos: BAYETE?

06/09/1950

Sangue negro

Ó minha África misteriosa e natural,
minha virgem violentada,
minha Mãe!

Como eu andava há tanto desterrada,
de ti alheada
distante e egocêntrica
por estas ruas da cidade!
engravidadas de estrangeiros

Minha Mãe, perdoa!

Como se eu pudesse viver assim,
desta maneira, eternamente,
ignorando a carícia fraternamente
morna do teu luar
(meu princípio e meu fim)...
Como se não existisse para além
dos cinemas e dos cafés, a ansiedade
dos teus horizontes estranhos, por desvendar...
Como se nos teus matos cacimbados
não cantassem em surdina a sua liberdade,
as aves mais belas, cujos nomes são mistérios ainda fechados!

Como se teus filhos – régias estátuas sem par –,
altivos, em bronze talhados,
endurecidos no lume infernal
do teu sol causticante, tropical,
como se teus filhos intemeratos, sobretudo lutando,

à terra amarrados,
como escravos, trabalhando,
amando, cantando –
meus irmãos não fossem!

Ó minha Mãe África, ngoma pagã,
escrava sensual,
mística, sortílega – perdoa!

À tua filha tresvairada,
abre-te e perdoa!

Que a força da tua seiva vence tudo!
E nada mais foi preciso, que o feitiço ímpar
dos teus tantãs de guerra chamando,
dundundundundun – tãtã – dundundundun – tãtã
nada mais que a loucura elementar
dos teus batuques bárbaros, terrivelmente belos...

para que eu vibrasse
para que eu gritasse,
para que eu sentisse, funda, no sangue, a tua voz,
                                         [Mãe!

E vencida, reconhecesse os nossos elos...
e regressasse à minha origem milenar.

Mãe, minha Mãe África
das canções escravas ao luar,
não posso, não posso repudiar
o sangue negro, o sangue bárbaro que me legaste...
Porque em mim, em minha alma, em meus nervos,
ele é mais forte que tudo,
eu vivo, eu sofro, eu rio através dele, Mãe!

25/02/1949

Dispersos

Quero conhecer-te África

Eu quero conhecer-te melhor,
minha África profunda e imortal...
Quero descobrir-te para além
do mero e estafado azul
do teu céu transparente e tropical, para além dos lugares
comuns
com que te disfarçam aqueles que não te amam
e em ti veem apenas um degrau a mais para escalar!

De Norte a Sul
de oriente a ocidente,
– quero conhecer-te bem,
sem nada de insincero, superficial,
e velar-te o corpo possante de virgem negra.
Quero conhecer-te melhor do que ninguém,
minha África silhuetada contra a noite enfeitiçada
de lua e de espíritos vingadores...

E quero mais!
Quero que os meus terríveis gritos de dor
sejam os gritos repetidos dos meus irmãos...
Que eu quero dar-te e dar-lhes todo o meu amor,
toda a minha vida, o meu sangue, a minha alma,
os versos que escrevo a sofrer e a cantar...
Só contigo e com meus irmãos quero lutar
por uma vida digna, livre, alevantada!
Sim, quero lutar em ti integrada
confundindo as almas, lado a lado, rimando nossos esforços e
suores,

sentindo o eco de cada brado
das nossas bocas, reboar por esse sertão
fora, longamente, dolorosamente...

E que alguém, perdido lá longe, o recolha e diga:
– Mas é minha esta voz, esta dor,
é meu também este brado!

Quero compreender-te, minha África,
quero penetrar-te, sonhar contigo,
descobrir-te nua e verdadeira,
sofrer os teus desalentos, esperar contigo,
sempre contigo!
porque só assim merecerei viver...

E que todos digam, quando eu cantar,
ou quando me revoltar, ou quando chorar:
É a África que canta, e grita, e chora!

(In: JÚNIOR, Rodrigues. *Para uma cultura moçambicana*, ensaio. Lisboa: Actividades Gráficas, 1951.)

19 de outubro

Solista mulher   Uma granada alada

 ribombou no nosso ventre
 em mil estilhaços de fogo

Coro feminino   Trinta e três estrelas cadentes
 na noite austral

Solista mulher   E tu
 Primogénito do nosso povo
 orgulho das nossas entranhas
 Moçambicano inteiro

Coro feminino   Choremos, irmãs, choremos
 a inutilidade dos nossos regaços
 velemos o rosto com nossas vembas negras
 que os antúrios do nosso pranto
 floresçam de Chilembene a Mueda
 pelo nosso filho maior

Solista mulher   Este que morreu mas está vivo

 e nos sorri com os olhos
 e com a boca
 Este que não cabe na estrela da praça
 E está connosco

 dentro de nós, ao nosso lado
 em toda a parte

do Rovuma ao Maputo.

Escutem, irmãs, como ele nos fala
Ele diz unidade
Ele diz
a melhor maneira de chorar
um companheiro morto é continuar a luta.
Ele diz
É ou não é?

Coro (homens e mulheres)   É.

(In: MENDONÇA, Fátima; SAÚTE, Nelson. *Antologia da nova poesia moçambicana*. Maputo: Associação dos Escritores Moçambicanos – AEMO, 1987.)

A mulher que ria à Vida e à Morte

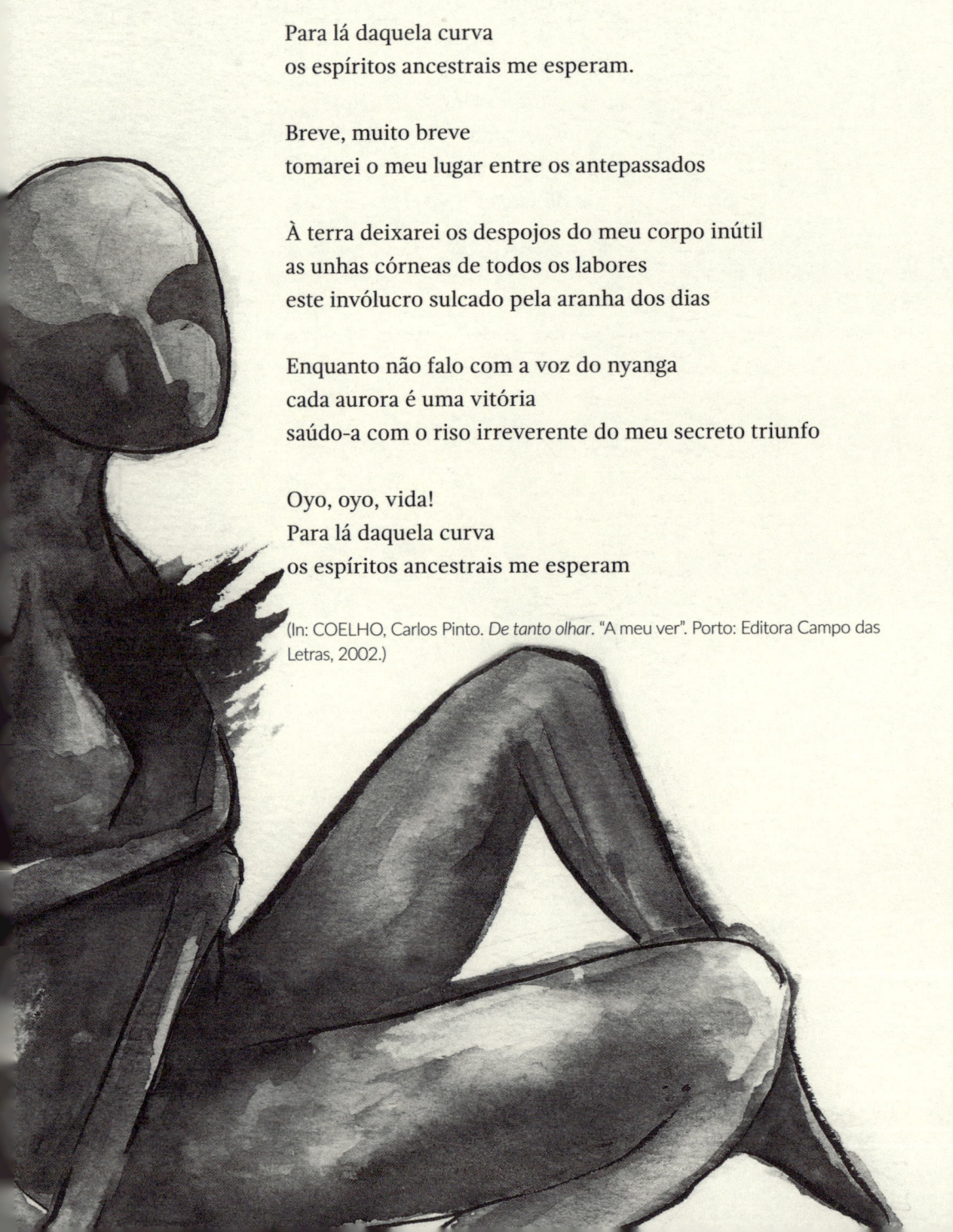

Para lá daquela curva
os espíritos ancestrais me esperam.

Breve, muito breve
tomarei o meu lugar entre os antepassados

À terra deixarei os despojos do meu corpo inútil
as unhas córneas de todos os labores
este invólucro sulcado pela aranha dos dias

Enquanto não falo com a voz do nyanga
cada aurora é uma vitória
saúdo-a com o riso irreverente do meu secreto triunfo

Oyo, oyo, vida!
Para lá daquela curva
os espíritos ancestrais me esperam

(In: COELHO, Carlos Pinto. *De tanto olhar*. "A meu ver". Porto: Editora Campo das Letras, 2002.)

Notas finais

Bayete (baiete): saudação; reverência.

belekar (belecar): embalar a criança nas costas da mãe.

cacimba: nevoeiro, neblina; sobretudo na estação seca (abril-setembro), que seria a estação mais fresca.

cacimbada: v. cacimba.

canhoeiro: árvore que se encontra no sul de Moçambique e que dá um fruto chamado canhu, com o qual se faz um fermentado.

capulana: tecido colorido, muito comum em Moçambique, com o qual as mulheres enrolam o corpo. Hoje, a capulana é também usada para confeccionar vestidos, camisas e calças.

caril: de um modo geral, nome atribuído a uma variedade de molhos que acompanham arroz ou massa de milho (chima/xima) e que representam pratos típicos de Moçambique. O caril pode ter como base leite de coco ou de amendoim, e como mistura folhas de diferentes plantas, carne, peixe, camarão etc. Os mais famosos são o caril de frango e o de amendoim.

CATEMBE

Vila na baía de Maputo em frente à cidade-capital de Moçambique (Maputo).

ARQUIVO: KAPULANA 1983

Chilembene: vila rural do distrito de Chókwè, província de Gaza, sul de Moçambique, terra natal do primeiro Presidente de Moçambique, Samora Moisés Machel.

chope: pertencente ao grupo étnico chope (m'chope) da província de Gaza, sul de Moçambique.

cocuana: pessoa mais velha; avô, avó.

compound do Rand: acampamento onde se alojavam os trabalhadores das minas de ouro, na África do Sul.

embondeiro: grande árvore comum em África a que alguns povos atribuem qualidades místicas; baobá, imbondeiro.

gala-gala: espécie de lagarto colorido.

Guachene: bairro da Catembe (vila na baía de Maputo em frente à cidade-capital de Moçambique).

ímpis: grupos de guerreiros.

Incomáti: rio que nasce na África do Sul e percorre a província de Maputo, no sul de Moçambique.

Jone: Joanesburgo, África do Sul.

Karingana wa (ua) karingana: fórmula para abrir histórias contadas oralmente; equivale, aproximadamente, à expressão "Era uma vez...", em tsonga.

landim: xilandi; uma das línguas originárias da cidade de Maputo; já foi uma das línguas mais faladas no sul de Moçambique e pertence ao grupo tsonga.

Lourenço Marques: nome de Maputo, capital de Moçambique, durante o domínio português, até sua independência, em 1975.

maçaleira (massaleira): árvore da maçala (massala).

machamba: terreno agrícola para produção familiar, terra de cultivo.

machangana: pertencente ao grupo étnico bantu (changanas ou xanganas) da província de Gaza, região sul de Moçambique.

maconde (makonde): pertencente ao grupo étnico bantu da região de Cabo Delgado, nordeste de Moçambique e sul da Tanzânia.

magaíça: antiga denominação dos emigrantes moçambicanos que iam trabalhar para as minas da África do Sul.

Maguiguana: líder guerreiro, um dos generais mais destacados do exército de Ngungunhana, combateu as tropas portuguesas no final do século XIX; morreu no Combate de Macontene (1897), sul de Moçambique.

mainata/o: trabalhador doméstico, assim designado no tempo colonial, e que lavava e engomava a roupa.

malangas: Malanga é um bairro suburbano da antiga cidade de Lourenço Marques, hoje Maputo. O plural pode significar uma opção poética da autora. Fato, aliás, visível nos diferentes topônimos que ela coloca no plural ao longo da obra.

mamana: termo carinhoso com que são tratadas as mães ou mulheres mais velhas.

mamparra: expressão depreciativa que era usada para o emigrante moçambicano, inexperiente ou imprudente, que ia trabalhar nas minas da África do Sul.

Maputo: rio no extremo sul de Moçambique, na fronteira com a África do Sul; também nome da capital de Moçambique e da província onde ele se situa. Moçambique tem onze províncias.

massala (maçala): fruto da massaleira.

matacanha (matequenha): pulga.

matangulana: provável alusão a João Matangulana, refugiado, citado por José Craveirinha no poema "À sombra dos Palmares"; palavra, em ronga, cujo sentido está relacionado a um contexto datado, não sendo possível, portanto, definir com precisão seu significado.

micaia: árvore ou arbusto da família das leguminosas, de grande porte, com folhagem miúda, também chamada espinhosa e que, na sua forma de arbusto, é usada como cerca à volta das casas, no campo.

monhé: comerciante de origem indiana ou paquistanesa. (designação depreciativa)

muchope: de origem chope, etnia do norte da província de Gaza, sul de Moçambique.

mudende: provável sentido relacionado aos velhos pensionistas contratados das minas da África do Sul; palavra, em ronga, cujo sentido está relacionado a um contexto datado, não sendo possível, portanto, definir com precisão seu significado.

Mueda: distrito da província de Cabo Delgado, norte de Moçambique.

Munhuana: bairro periférico da cidade de Maputo.

munhuanense: de Munhuana.

nembo: seiva de árvore com as propriedades do látex; usada como cola para apanhar pássaros.

ngoma: atabaque típico da África bantu; ngoma também significa música, em geral.

nhantsuma: fruta tropical.

nyanga: médico tradicional; curandeiro.

pachiça: trabalhador que faz o transporte de bagagens e outros volumes; carregador do porto, estivador. (designação depreciativa)

paixões (masc.): fogos de artifício.

pau preto: madeira de árvores tropicais (mpingo), de cor quase preta, muito usada em marcenaria e em esculturas; material de esculturas macondes do norte de Moçambique.

piteira: planta de folhas espessas, fibrosas e espinhosas.

Rovuma: rio no extremo norte de Moçambique, na fronteira com a Tanzânia.

serapilheira: tecido grosso para envolver fardos, fazer sacos.

tuta: espécie de pássaro de tamanho mediano.

vemba: capulana especial, usada sobre os ombros das mulheres, em ocasiões importantes.

xibalo: (trabalhador em) regime de trabalho forçado temporário instituído pela administração colonial portuguesa.

xicuembo: divindade ou espírito dos antepassados, do ronga xi-kwembu.

xingombela (Ed. AEMO, 2001) ou **shingombela** (Ed. Marimbique, 2011)**:** dança tradicional do sul de Moçambique.

xipalapala (Ed. AEMO, 2001) ou **shipalapala** (Ed. Marimbique, 2011)**:** corneta feita de chifre de impala, usada em celebrações.

Xipamanine: bairro periférico de Maputo; é também nome de um mercado popular de Maputo.

xipeia: cabrita do mato.

xipócué: fantasma; espírito de um morto, em língua tsonga (idioma que abrange todo o sul do Save de Moçambique).

xirico (chirico): ave amarela que canta muito ao amanhecer.

xitambela: inseto verde escuro brilhante, que ao bater as asas produz um som característico; besouro.

xituculumucumba: entidade do mal que assusta as crianças; bicho-papão; o mesmo que "psitukulumukumba", criatura maléfica.

Zambeze: um dos maiores rios africanos; passa por Zâmbia, Angola, Namíbia, Botsuana, Zimbábue e Moçambique, e deságua no Oceano Índico.

zampungana: empregado negro que, no período colonial em Moçambique, recolhia baldes com excrementos humanos, à noite, nos bairros suburbanos, desprovidos de rede de esgotos.

2016
Mensagens
para Noémia

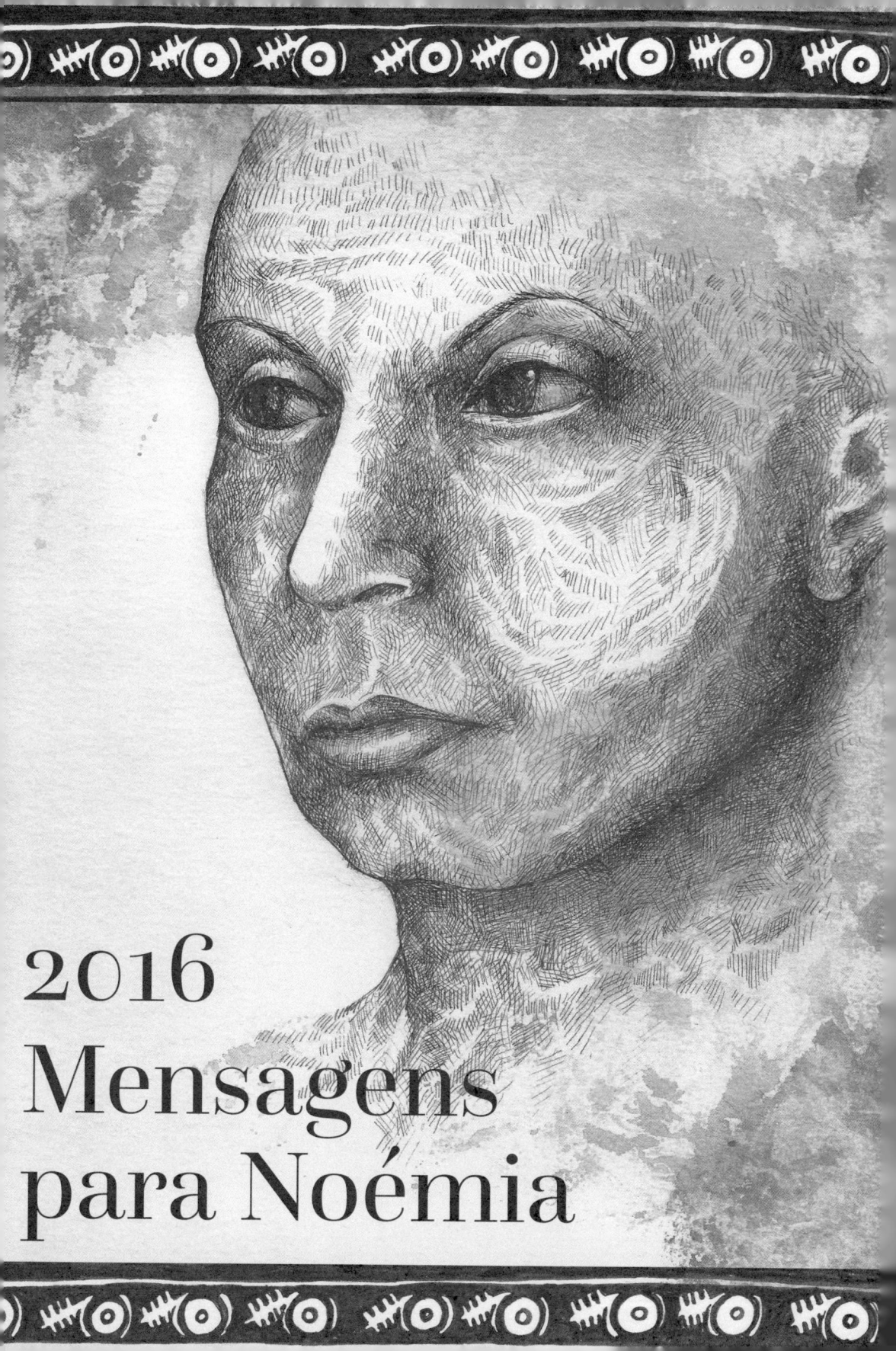

Roberto Chichorro
Moçambique
PINTOR, ARTISTA PLÁSTICO

Noémia,
Foi a Mulher, Irmã, Mãe e Namorada que nos fez sonhar, e aprender a conhecer e a viver tudo o que vivemos.

Reprodução ofertada pelo artista à Editora Kapulana em 2016, para a edição brasileira de *Sangue negro*, de Noémia de Sousa.

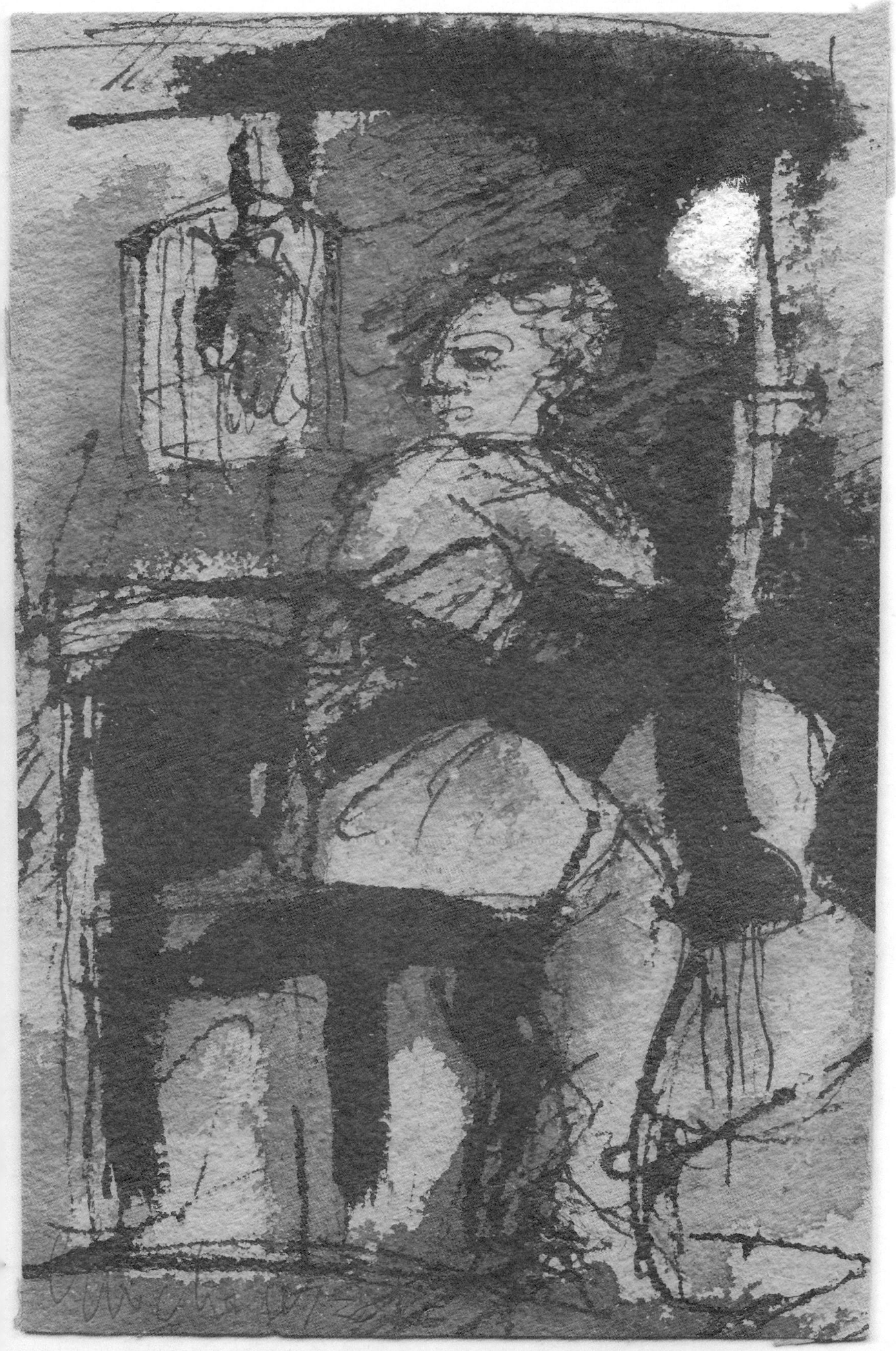

Virgínia (Gina) Soares
Portugal
FILHA DE NOÉMIA DE SOUSA

A minha mãe nunca me deixou esquecer donde eu vinha. Apesar de eu ter nascido em Portugal e ter crescido em França. Ia-me contando a história da família, cantava-me músicas moçambicanas, contava-me contos moçambicanos. Tentou ler me um dos seus poemas mas na altura não liguei nenhuma. Aliás, ela própria não se apercebia da importância que a poesia dela tinha para os outros.

Só nós demos conta quando ela regressou pela primeira vez a Moçambique, depois de 25 anos, se não me engano. Ela estava tão emocionada que mal conseguia dar uma entrevista sem começar a chorar.

E nunca me esqueço do que ela me disse quando aterramos em Maputo: "nunca pensei que alguma vez visse um negro andar na minha terra com o ar de que a terra lhe pertence".

Calane da Silva
Moçambique
ESCRITOR

Inclino-me nesta tarde de dezembro e quero recordar-te. Olhar-te com os olhos bem de ver, como me convidas no teu poema. Da casa de Catembe à beira-mar, a minha mãe contava-me. Das gaivotas, essas, recordo-me. Lá continuam doidas de azul. E azuis persistem os olhos de João. "O Livro de João", João livre, João amigo que ninguém pode prender.

Da casa da Mafalala, história de zinco e madeira, lembro-me bem. Os sinais; velha mangueira em banquetes de sombra. No quintal, também as barras e as argolas do Nuno, teu irmão. As palavras: "Já foste beijar a tia Nini?". Tu, no teu nome familiar. "Vai haver aquele bolo de Natal?" – gostos e cuidados teus, ânsia nossa – "Não risquem os discos!". Nostalgias do gramofone, lá ao fundo do corredor, na biblioteca. E desta última casa, exacta na linha divisória subúrbio cidade, deixas passar o teu povo. Corpos tatuados, poemas de andrajos. O zinco goteja cacimba. Lágrimas do tempo.

Em dezembro de 2002, por ocasião do falecimento de Noémia de Sousa, "a minha tia Nini".

Clemente Bata
Moçambique
ESCRITOR

NOÉMIA DE SOUSA QUE APRENDI A CONHECER

Noémia de Sousa faz parte dos nomes cuja pena pintou os alicerces da nossa poesia. Nos tempos de escola, aprendemos a conhecer Noémia. Se me quiseres conhecer... interpelava-nos ela num dos seus poemas. E falava do Magaíça, noutro poema, olhos redondos de pasmo, com malas cheias do falso brilho, com a sua trouxa de farrapos, trouxa de sonhos, carregando a ânsia enorme, tecida de sonhos insatisfeitos.

Era preciso conhecer Noémia. E "Se me quiseres conhecer" repetia ela cantando *Let my people go*. Repetia, sim, nos seus versos, fazendo ouvir a voz do Magaíça, esse pedaço de pau preto, que um desconhecido irmão maconde talhou e trabalhou. E dizia: Essa sou eu.

Dizer quem é Noémia é falar, pois, dos seus poemas. Lá diz ela, e alto, Se quiseres compreender-me, e nada mais me perguntes, eu não sou mais que um búzio de carne, grito inchado de esperança.

Ela que chamava a sua nação, que ainda não existia, para citar José Craveirinha, de Mãe, minha Mãe de mãos rudes e rosto cansado e revoltas, dores, humilhações, tatuando de negro o virgem papel branco. Essa é Noémia de Sousa que aprendi a conhecer.

Marcelino Freire
Brasil
ESCRITOR, PROFESSOR, ATIVISTA CULTURAL

A maior dádiva da minha vida este ano. Esta notícia do lançamento de *Sangue negro* no Brasil. Da chegada de Noémia de Sousa em nossas terras. Ela que tanto amou a Bahia e os brasileiros. O povo daqui, e do mundo, por ela cuidado. E celebrado. A Mãe dos Poetas Moçambicanos finalmente vem nos pegar no colo. Na mão, no abraço, no afeto. É uma voz necessária em tempos tão controversos. Seus versos, de força, de guerrilha. De luta e de autoestima nos farão bem. Eu que leio, e repasso, em todo canto que passo e posso, sua lição lírica e altiva. O sol de seu exemplo. O grito de quem clama por justiça. Solta o peito e suplica: "Tirem-nos tudo / mas deixem-nos a música!". A música que ela ama e defende em sua profunda poesia, "germinada em revolta e nostalgia".

Mia Couto

Moçambique
ESCRITOR

Conheci a poesia antes da pessoa. Construí, para mim própria mitologia, a ideia de uma mulher fisicamente pujante, voz sólida como a esperança de que era estandarte, olhar firme como a causa das lutas que abraçara. Quando, por fim, a conheci em pessoa, foi uma surpresa. Noémia era frágil e delicada, a voz trémula, o olhar doce e apaixonado de criança. Ela era o poema e a poesia. A bandeira que se erguia nos seus textos éramos que a sustentávamos. E a certeza do que proclamava não vinha do senão do murmúrio, esse mesmo sussurro que são a voz do vento, do mar e do amor.

Rita Chaves

Brasil
PESQUISADORA E PROFESSORA DE LITERATURAS AFRICANAS DE
LÍNGUA PORTUGUESA DA USP (UNIVERSIDADE DE SÃO PAULO)

NOÉMIA EM SEU CANTO POVOADO DE SONS E CORES DE TANTOS MUNDOS

O que nos arrasta na poesia de Noémia de Sousa? O ritmo que parece saído do chão que ela pisou tão fortemente? A força épica de uma voz que se entrega ao mundo que a envolve? Ou a dimensão ética de um compromisso com os deserdados do seu tempo? Todas as respostas acima, eu apostaria. E mais a sensação de estar diante de um percurso literário que faz da experiência a fonte de uma poética pautada pelo desejo de comunhão, de uma poesia por onde passam os magaíças, as moças das docas, o amigo João, a amiga Shimani, o companheiro branco, e Marian e Robeson cantando spiritual negros de Harlen...

Seguindo seus versos, vemo-nos na companhia de Rui de Noronha, de Billie Holiday, de Jorge Amado, de Godido, de Castro Alves, de tantos outros que, saltando das páginas de ficção ou das paisagens da vida, integram um espaço vigoroso, mágico, tocante, em cujas esquinas podemos ver a explosão das acácias vermelhas de sua cidade e ouvir o som das timbilas em sensível harmonia com o blue e o samba, tudo combinado para deixar passar um povo e dar a conhecer um continente.

Confirmando e renovando uma tradição, Noémia povoa seus cantos de personagens que, habitantes do país que ainda iria nascer ou moradores de outras terras, impõem-se como ícones de um mundo quase em estado de fábula. De seus sinais, vozes e gestos, ela parece extrair a seiva que precisa fecundar esse tempo de asperezas em que a sua escrita emerge.

Nazir Ahmed Can

Brasil
PESQUISADOR, PROFESSOR DE LITERATURAS AFRICANAS DE LÍNGUA
PORTUGUESA NA UFRJ (UNIVERSIDADE FEDERAL DO RIO DE JANEIRO)

SOBRE NOÉMIA

A figura de Noémia de Sousa reenvia-nos a um coletivo plural, resistente e que, mesmo em silêncio, faz tremer a terra com seu ritmo dorido. Alguns versos de "Dó sustenido por Daíco", poema de José Craveirinha que festeja um dos grandes nomes da música moçambicana, dá a medida dos laços que *Carol* criou e continua inspirando em nome de uma causa maior.

> [...]
> Carol:
> Estávamos no cemitério quase todos
> reunidos à despedida do nosso companheiro Daíco:
> o Zagueta, o Vicente Langara e o Brandão
> o Pacheco mais o Catembe e o Mundapana
> o Tindôsse, o Manecas – filho do Banheira – e o Mangaré
> a Maria-Rapaz e muitas gajas do Pinguim que até choraram
> o Mussagi e alguns brancos no meio da gente
> com o Xico Albasini talvez arrependido em ter deixado
> o Daíco partir sem um dó-sustenido electrificado
> no timbre de todas as violas da malta
> todas, Carol, todas amplificadas
> não se calarem mais.
>
> Pois é, Carol,
> vou terminar esta carta enviando-a sem via
> sobre a amnistia de quarenta e tal anos de exílio
> do Daíco dentro de Lourenço Marques a tocar bacilos
> mas não estejas pensativa nem triste onde quer que estejas
> que o Daíco executa agora resvés no coração da pátria
> de improviso a resistência da última posição
> no corpo inteiro em contracanto.
>
> E garanto-te, Carol,
> que neste preciso momento em Moçambique
> jacente a orquestra de humos começou
> de certeza no sigilo uníssono de tudo
> o típico movimento arenoso puro
> folclore das boas vindas
> ao Daíco.

(CRAVEIRINHA, José. *Karingana ua karingana*, 1974.)

Suleiman Cassamo

Moçambique
ESCRITOR, EX-SECRETÁRIO-GERAL DA AEMO
(ASSOCIAÇÃO DOS ESCRITORES MOÇAMBICANOS)

RECORDANDO NOÉMIA DE SOUSA

A geração *Charrua*, nome da revista literária que nos congregou nos anos da década de 1980, não tomou propriamente de "assalto" a Associação de Escritores Moçambicanos (AEMO). Os mais velhos, como Aníbal Aleluia, Albino Magaia, Gulamo Khan, Leite Vasconcelos, Orlando Mendes e Rui Nogar, introduziram-nos na *casa*.

Assim, tivemos a sorte de conviver com algumas das lendas da literatura moçambicana. A par de José Craveirinha, com a "mãe dos poetas moçambicanos": Noémia de Sousa. A quem, por ocasião dos 60 anos de vida, a AEMO prestou homenagem.

Tive o privilégio de estar à frente de tão oportuna iniciativa, num acto que contou com o carinho e a honrosa presença do então Chefe de Estado, Joaquim Alberto Chissano.

A Noémia era uma pessoa afável, discreta, duma simplicidade desarmante, mal lembrando a poetisa cujos versos abanaram com os alicerces do colonialismo português em Moçambique. Não queria homenagem. Custou convencê-la a comparecer ao acto.

Dias depois, franzina, a carteira de menina ao ombro, irrompeu pelo corredor da associação. Inconformada, num protesto entrecortado por aquela gargalhada espontânea, quis saber que ideia tinha sido aquela.

Era como a minha própria mãe a censurar-me de algum excesso. Aliás, sempre me sentira assim com ela: junto de minha mãe. Dei-lhe um beijinho de consolo, numa e noutra face. Espero tê-la apaziguado. Para todo o sempre.

Tânia Tomé

Moçambique
POETA, CANTORA, ESCRITORA, ECONOMISTA, ATIVISTA

MINHA NOÉMIA, OBRIGADA POR ME EXISTIRES

Quando me lembro da Noémia, uma poeta que li, reli, reinventei no mais alto do meu grito, lembro do "poema do João", quão colectivo, quão congruente com uma luta que se vence com alma, coração e palavras. Uma luta que só a multidão em força, com esperança e com "acredito", pode alcançar. Noémia não é apenas uma poeta, uma escritora é uma ativista social, visionária, uma mulher de imensa força, obstinada por um Moçambique maior e melhor para todos. Sangue negro cantou, em busca de um sangue que alcançasse o igual, o equilíbrio em direitos e oportunidades. A força da sua poesia, entranhou ela própria a Noémia dentro de mim. Aprendi a conviver com ela todos estes anos, e juntas caminhamos e conversamos para continuar aquela busca que ela cantou "Deixa passar o meu povo", porque ninguém nunca, mas mesmo nunca pode inteira pôr multidão "numa jaula". Kanimambo Noémia por tudo o que deste e darás em cada sangue que entranhas com tua luta e teus versos. Obrigada por me existires.

Kanimambo - obrigada (shangana)
10/06/2016

Lucílio Manjate
Moçambique
ESCRITOR, PROFESSOR

NOÉMIA DE SOUSA, O SAL E A LAMPARINA

O meu contacto com a poesia de Noémia de Sousa deu-se na escola, a partir da 8a. classe. É pois a esse tempo que regresso ao escrever estas linhas, vêm-me agora à memória professores, colegas e amigos desses anos, entre a 8a. e a 12a. classes. Mas não é sobre essa memória, hoje algo esbatida – confesso – que quero falar. Porque há uma memória mais distante, mas incrivelmente avivada, a memória do que não vivi, não senti, enfim, das coisas que não sei. Essa está nos seus textos, textos em permanente diálogo com os testemunhos de minha mãe e outra gente mais velha; textos em permanente diálogo também com os conteúdos de disciplinas como História de Moçambique ou História de África, aprendidas na escola; textos em permanente diálogo também com a própria ficção moçambicana. É nesse diálogo que me revejo como moçambicano também nos textos da autora, numa voz que faz brotar em mim a nostalgia de tempos e espaços não vividos, pois a sua escrita é essa permanente evocação de sentidos identitários, de pertença e fundacionais do *ethos* moçambicano. Noémia de Sousa é, sem dúvida, "nossa" voz matricial, na literatura e por conseguinte na vida. Foi assim que com ela privei, como se lê as cartas de uma mãe irremediavelmente distante, mas que me legou o sal para temperar a vida e uma lamparina para iluminar as noites.

Maputo, 07 de Junho de 2016

Silvia Bragança
Goa (Índia) / Moçambique
ARTISTA PLÁSTICA E ESCRITORA

POESIA EM HOMENAGEM A NS

Com a mente do pó de inúmeras estrelas, revestido
D'África ao Oriente e ao Ocidente,
Visitai hoje, esta clareira ardente
À volta da qual o Povo eleva as mãos, angustiado!
Suplicando, chorando, clamando,
Contra as vicissitudes em que se afogam.
Este espaço lindo aos deuses maus, conquistado
Se afunda num mar tenebroso.
Brada aos Céus!

Com palavras, palavras e poemas
E, quando necessário as armas justas
Apontadas contra o colonialismo,
Contra o racismo, contra o nepotismo
De qualquer lado vindo
Do branco, do preto ou d'outras cores investidas

Olhai para as clareiras ao sol abertas,
Nas matas deste País:
Valas, valas, valas de inocentes mortos
Para esconderem de mentes justas e lúcidas
Verdades e Inverdades, ao vento lançadas,
Obstruindo a verdadeira justiça
À clareza do julgamento justo
Quem pretende esconder e o quê?
Porque à miséria conduzem o Povo?
Que direito tinha de viver feliz!
Porque não apresentam, construindo
O FIM a esta estúpida guerra que mata e destrói?
Se dizem: "tem de haver diálogo", Bem-vindo!
Dos dois lados têm de haver passos dados.
Quem está por detrás desta imunda guerra.
"Basta" dirias tu, Noémia! Basta! Basta!

Noémia! está connosco, neste momento da tormenta...
Ajuda a escrutinar em cada palmo desta terra,
Os horrores que vimos, presenciamos.
Queremos um Povo desnudado de vilãs conquistas;
Queremos um povo liberto de agruras;
Queremos um Povo não sujeito a ofertas traiçoeiras;
De quem oferece para mais roubar!
Com falas mansas e de altruísta revestido.

Queremos um povo Feliz com as conquistas alcançadas
Que a partir do teu poema "sangue negro", atroa o espaço.

**ALMEJAMOS JUSTIÇA, O PERDÃO E A PAZ!
PARA ESSE MOÇAMBIQUE CONSTRUIRMOS.**

Ungulani Ba Ka Khosa
Moçambique
ESCRITOR, DIRETOR DO INLD (INSTITUTO NACIONAL DO
LIVRO E DO DISCO) E SECRETÁRIO-GERAL DA AEMO
(ASSOCIAÇÃO DOS ESCRITORES MOÇAMBICANOS)

A ETERNA NOÉMIA DE SOUSA

Quando tive a felicidade de a conhecer, em pessoa, nos idos anos oitenta do século passado, nos corredores da Associação dos Escritores Moçambicanos, a Noémia de Sousa era já um mito, figura fundadora da moderna literatura moçambicana, voz matricial.

Vi, naquele corpo franzino, passos comedidos, olhar enorme mas plácido, compassivo, como que a entender o passional momento revolucionário que atravessávamos, a modéstia em pessoa. Ela pouco se preocupou com os louros que o tempo lhe conferiu. Disse-nos, a nós, então jovens escritores, que deixara de escrever logo que saíra de Lourenço Marques, nome que levava a capital moçambicana, Maputo, no tempo colonial. Saíra em 1951. Não acreditámos. Para nós, aquela voz serena, pausada, mas carregada de vida, corporizava o que então ansiávamos: a literatura como um fim. Compreendemos depois que ela já havia atingido a sua plenitude.

E de tempos a tempos me ribomba aos ouvidos as estrofes do poema "Abri a porta, companheiros": *O que importa/ é não nos deixarem morrer/ miseráveis e gelados,/ aqui fora, na noite fria povoada de xipócués…/ "O que importa/ é que se abra a porta"*.

E a porta abriu-se.

SARAVÁ, Noémia!

Maputo, 13 Junho de 2016.

Xipócués: o mesmo que fantasmas, em língua tsonga (idioma que abrange todo o sul do Save de Moçambique).

Adelino Timóteo
Moçambique
ESCRITOR, POETA E ARTISTA PLÁSTICO

UMA VOZ IMPOSSÍVEL DE DESMOÇAMBICANIZAR NA POESIA

Tinha para aí dez anos, quando o meu professor de português leu-nos o texto "nasci numa casa à Beira do Índico", que cito de cor.

Por aquelas alturas senti-me familiarizado com o texto, dado a relação com o mar e a cidade, a minha Beira, onde vivo. Só que no caso a beira que ela se referia era a Catembe, e em uma "casa de Madeira e Zinco", como avançava em outro poema.

O nome da autora daqueles versos rente a fala, rente ao dizer, de uma simplicidade era a Noémia de Sousa.

Ademais devo confessar que o que mais me marcou nestes versos é o sabor a terra, o cheiro a maresia.

As algas. As conchas. Aquele ambiente introdutório com relação a um território vivencial da periferia.

Era exactamente isso que eu via nos bairros periféricos da Beira. O que me gerou a consciência de que a poeta era porta-voz de uma classe de excluídos. Para que eu me despertava, pedente de toda a afectividade, e também, solidariedade.

Por certo, naqueles versos, de despertar, demarcava-se um território, transfigurado na essência de um povo depauperado. O texto tinha/tem correspondência com a geografia de afectos. O proto-nacionalismo. A formação de uma consciência negra, como disso vou descobrir em *Let my people go*.

A Noémia faz parte das vozes precursoras da poesia de circunstância que por certo me alertou sobre o simbolismo dentro da nossa poesia. Mas na galeria dos poetas, ao tempo, ausente, porque mudou-se muitos anos antes da independência, para Portugal.

De Portugal quase não chegavam notícias sobre ela, aparte o facto de que esteve ligada ao jornalismo. A sede de conhecer Noémia em mim era grande, e ficavam-me as fotos que Nelson Saúte publicava na Gazeta, mais alguma escassa entrevista do mesmo Saúte a Noémia.

Eu passava muitos minutos devotados a ler as entrevistas da Noémia e a digerir as suas fotos, recordo-me já com cabelos brancos, uma camisola grossa de malha. Uma presença algo melancólica no olhar, mas ainda em cumplicidade com o Craveirinha, o Rui Nogar e outros vultos da literatura moçambicana.

Serão as fotografias e entrevistas que me irão alertar para a importância da sua voz na literatura moçambicana. Serão também os seus textos que me levarão a identificar-me com o substracto dos excluídos. Ontem e hoje. A concepção do jornalismo como contra-poder.

Ou seja o terço-génio, servindo de intermediário entre o povo e o poder. E de forma descomprometida com o sistema da altura, correndo por isso riscos.

Noémia de Sousa tem para mim esse significado. Um sair-se dela para ser a consciência e a encarnação dos escravos, dos depauperados e nunca uma poeta engagée.

Um sentido de afronta, o gosto pela contestação e uma irreverência que a tornarão, para todo o sempre, uma voz impossível de desmoçambicanizar, contanto tenha vivido em Portugal e aí continuado, depois do nascimento da nação moçambicana.

Moçambique, 06/06/2016

José Luís Cabaço
Moçambique
PROFESSOR, ESCRITOR, SOCIÓLOGO

E O POVO FORÇOU A PASSAGEM

Na longa travessia que fiz, já lá vai mais de meio século, de filho do colonialismo em Moçambique a militante da causa da independência africana, fui-me alimentando de emoções e de certezas que me revigoraram na jornada. Conversas com amigos, angustiadas reflexões existenciais, notícias de opressão e resistência em outras coordenadas, livros de referência e de estudo, panfletos e folhetos clandestinos, músicas gravadas de paragens longínquas, espectáculos de canto e dança na Associação Africana, romances e poesias que nos traziam a realidade sofrida do país, do continente, da humanidade, muito cinema e fotografia, tudo isso potenciava a sofreguidão de conhecer e fertilizava a importância de sentir o sofrimento e a revolta dos nossos povos face à realidade de exploração, miséria e violência que impregnava a atmosfera colonial.

Sonhávamos então utopias. Gritávamos nossa denúncia. Criávamos projetos. Imaginávamos o futuro.

Nesse turbilhão um amigo deu-me a ler Noémia de Sousa, "O Poema de João" cujo tema incendiou meu entusiasmo. Pedi mais. E, em pálida cópia *stencil* dactilografada, como se usava então na circulação clandestina de documentos, chegou-me às mãos "Deixa passar o meu povo". O inconformismo do poema, na harmonia pungente e determinada dos *blues*, me comoveu até às lágrimas e me fez tremer de raiva. *Let my people go*, mais do que uma reivindicação, era a vontade de todo um povo debruçado sobre o ombro da poetisa "com Marian e Robeson vigiando pelo olho luminoso do rádio". O poema de Noémia, convidava-me afinal, a juntar-me a quantos se debruçavam sobre o seu ombro.

Mais de trinta anos depois, já em Maputo, capital de Moçambique independente, tive a honra de conhecer a grande escritora e o privilégio de um momento a sós para lhe agradecer contando esta brevíssima estória.

Ana Mafalda Leite

Portugal
POETA, PESQUISADORA , PROFESSORA DE LITERATURAS AFRICANAS
DE LÍNGUA PORTUGUESA NA UNIVERSIDADE DE LISBOA

Se me quiseres conhecer contorna o meu corpo
em terra e água refeito
mergulha as mãos no atlântico, a seguir no índico e abre-te ao horizonte
de outro mar que é rio: zambeze!

Depois em terra mais a norte aí no braço esquerdo
do mapa, procura o lugar
em Moatize.

Se me quiseres conhecer estuda com olhos bem de ver
uma máscara Nyau

é por ela que a força vem quando sou esculpida
é com ela que os espíritos dos antepassados
falam como os animais que falam em tempos de antigamente

aqueles com chifre de sitatunga e tatuagem branca na pele
os que lembram o xipene o búfalo ou o pangolim

Ah essa também sou eu! Uma máscara sem rosto
que carrega múltiplos ancestrais
os que lembram as hienas os hipopótamos os elefantes
trombas orelhas cornos levantados
esgares pegadas sussuros palavras
e rugidos

muito em silêncio

E nada mais me perguntes...

Ah! Se me quiseres compreender vem juntar-te a nós
que somos os misturados descoincidentes zoomórficos
criaturas e criadores

Insones

o nosso espírito dança continuamente
somos aqueles que são secretos
não temamos a morte nem os mortos
Porque somos os acompanhantes
os camaleões gigantes

de deus

Luis Carlos Patraquim

Moçambique
POETA, JORNALISTA

EM ESPIRAL, O ECO

Quem poluiu, quem rasgou os meus lençóis de linho,
Onde esperei morrer, – meus tão castos lençóis?
Do meu jardim exíguo os altos girassóis
Quem foi que os arrancou e lançou ao caminho?

Camilo Pessanha, in "Clepsydra"

Foi por um desvio na tarde de Dezembro, solitária Lisboa ao Domingo, plúmbea em seu jazigo de Inverno; por uma deriva da memória e seu persistente eco e pelo enrodilhado pano que o ondulava na brisa, ao eco silencioso, lívida linfa esforçando os rios; foi pelo restolhar dos passos nos olhos baixos a discernir no saibro, o grão; foi pela cinza, a voz, seu eco em espiral e tão arco tenso entre gelo e fogo. E num desenho a negro o azul da fuga porque Noémia de Sousa morreu.

Calem da luz seu ritmo crepuscular e acendam-lhe a persistência das árvores, a desgrenhada cabeleira da água escondida em seu bojo encalhado – há sempre um velho negro navegando o barco por sobre os mil braços irados do embondeiro – e estendam-lhe os "lençóis de linho" e os "altos girassóis" por onde suster e colorir o eco. Vejam-na, altiva, sobre a baía, vestindo-a e ressurgida a velha casa mirada do cais.

Digam que sobra um sangue coagulado no asfalto, uma hemoptise que o sono do sonho escalavrou nas colmeias de carne e louvem a fúria das abelhas trazidas com o vento da terra. Porque Noémia de Sousa morreu. Seu eco nos despe da tentação dos caminhos escuros. Ei-la como chega, rindo, trazendo pela mão a voz de Paul Robson, aliviando-o da diáspora na fímbria do mar Índico; como desenha motivos gráceis no encarapinhado austero de Sister Rosetha Thorpe e entrelaça borboletas escarlates nas tranças de Mahalia Jackson, intensa menina gorda de vestido largo e branco.

– Sometimes I feel like a motherless' child.

– Ora! Essas coisas! Na noite morna, as ondas da rádio...

E os caminhos de Espanha com uma menina nos braços, quiçá lembrando Dolores e as tardes com o Zé no "Jardim do Paraíso". Essas coisas...

Mas agora ela chegou e é preciso limpar a cidade. Não a vêem no Largo Albasini, Caldas Xavier adentro, a olhar de soslaio o senhor Rui de Noronha que passa, tormentoso e solitário? E que dobrou agora o caminho de areia e lá está a casa ao fundo e a bula-bula é descarada, tudo por culpa da Bertina – psiu – que a guarda ainda nos interpela? E o vestido estampado e o sorriso largo à conversa com o Reinaldo Ferreira, *negligé* profissional de olhos esbugalhados na esplanada do "Scala", com o Virgílio de Lemos irrequieto?

Porque é preciso limpar a cidade! Contratem homens inteiros para reerguerem o Prédio Pott; tirem os cabritos de alvenaria que roeram o verde todo das barreiras; não o assaltem, que é só um poeta curvado e se chama Rui e olha do alto, no jardim fronteiro ao Liceu, o casario da baixa e a baía ao fundo. Tudo só saudades do Nhiki Panze, que o lodo trazido do mangue escarcha, pui, reveste do mais feroz esquecimento o "velho barco ancorado na baía". Só o João Fonseca Amaral lhe viu as barbas à Walt Whitman.

E deixem-na descer até à Malanga e parar, antes, na Associação Africana com o poema para o "Brado" porque chegou o Aga Khan e Rita Hayworth espera-a ansiosa.

Encetada a mais longa das viagens, lá vai a Carol que chega, seu eco para sempre na "alta noite" envolvendo a cidade e com ela o nome da terra larga, longilínea, aquele braço ao correr do Zambeze dando-lhe um desenho de fisga tosca, o nembo de si a resgatar os pássaros. Que é sempre quando se morre e nasce e o vaticínio da palavra em sua dispersa poeira une o tempo à sua espiral. O eco da voz modulando nossas vozes.

Luís Carlos Patraquim, por ocasião da morte de Carolina Noémia Abranches de Sousa
In: *Savana*, Maputo, 2003.

Domi Chirongo

Moçambique
POETA

DA CATEMBE AO UNIVERSO, UMA VIDA

    Que dizer da Noémia?
    É a própria vida
    despida de preconceito
    revestida de conceito
    Negritude, arte, poesia
    e porquê não, boemia...
    natureza à moda catembeira
        à beira do universo
    Catembe planetário!
    Obrigado Noémia de Sousa
    p'lo teu sangue negro
        exteriorizado.
    Bem-hajas, nossa eterna confreira.

Maputo, 10 de Junho de 2016

José dos Remédios
Moçambique
JORNALISTA

NOÉMIA: A POESIA DO MUNDO

A mitologia grega tem a felicidade de possuir deusas que encerram estórias ligadas à mentalidade dos gregos. Atena, Afrodite e Hera são exemplos dessa tentativa de prender o presente num passado que, tendo ou não existido, tem impacto na vida das pessoas. Nós, os moçambicanos, não temos muito dessa herança celestial. Não temos uma Maria, com seio abençoado como o da esposa de José; não temos Brigitte Bardot, *sex symbol* de encantos fáceis; não temos tudo isso e, quiçá, nem precisamos nesta simplicidade particular. Porquê almejaríamos o mundo, quando temos o céu eternizado nos versos de um ser poético como é Noémia de Sousa?

Não a conheci pessoalmente, um conjunto de factores tornou caro qualquer encontro com aquela mulher, síntese de tentas perdidas entre o Índico e o Pacífico, este espaço líquido repleto de sonhos naufragados. Ainda sim, tive o gozo de me deixar cativar pelo esplendor do seu "eu" – valeram-me os retratos. Aí percebi a metáfora e o Noronha. De facto, a "mulher é como a flor, não é a cor que nos prende". Nelas há sempre qualquer coisa que nos enlouquece no sentido de nos tornarmos mais ajuizados. Por isso a prisão agrada pela possibilidade de sermos perfeitos com as nossas imperfeições.

Tal como eu, aquela Noémia com endereço físico pouca gente conheceu. Nada mau. Mesmo porque daquele sujeito surgiu-nos tantos cuja sedução está imortal nos versos de *Sangue negro*, este livro que nos leva a visitar a infância de Moçambique, onde Noémia ganha uma projecção espiritual por ter na escrita a preocupação pela liberdade que se urde entre esperanças na superação dos problemas como em poucos calha. E Noémia não só é a primeira a afirmar-se como poetisa desta terra, é a voz preliminar de amor à pátria – sem ainda existir –, a consubstanciar-se por viver a dor do Homem por não poder cantar a beleza das flores. Logo, quem a absorve na poesia, purifica-se porque na autora há compromisso com a vida, versos a ultrapassar Moçambique, a universalizarem-se com elegância.

Quem celebra este *Sangue negro*, contacta a História do mundo, dos oprimidos e a determinação de que se constrói a vitória. Num contexto de crises como este que sepulta qualquer patriotismo, cabe bem esta voz ser revitalizada na terra do seu querido Jorge Amado, claro, na *carona* desta Kapulana que tanto nos conforta. Assim, quem sabe, mais leitores compreenderão: "Um dia, /o sol iluminará a vida. / E será como uma nova infância para todos..."

Maputo, 04 de outubro de 2016.

Aldino Muianga

Moçambique
ESCRITOR, MÉDICO-CIRURGIÃO,
DOCENTE UNIVERSITÁRIO

NOÉMIA DE SOUSA: POETA-COMBATENTE, HEROINA-POETA.

Digressão pelos recessos duma identidade sonegada é o que encontro na poesia de Noémia de Sousa.

A busca obsessiva de "uma porta de saída" nos textos da poeta é a nota que marca o compasso dos esforços pelo franqueamento dos caminhos para a liberdade. O sentimento de angústia pelo cerceamento de direitos, seus e de seus concidadãos, deixa extravasar um contínuo caudal de protestos que se reverberam nos poemas. O eco das palavras trepida na alma de quem os lê e torna cúmplice de revoltas que fluem na sua obra.

A sua peregrinação pelo mundo, desde as margens da baía de Lourenço Marques, na Catembe, seu berço natal, a sua passagem pelo Brasil, França e finalmente Portugal, onde morreu, encontra um paralelo no universo da sua poesia. Na sua essência, nesses poemas, monólogos – diria efabulações – encontramos combinados elementos de exaltação dos valores tradicionais, culturais e sociais da eterna Mãe-África, subscritos em poemas vários, os brados de convocação para o engajamento com as culturas locais, de incitamento pela ruptura com a ordem estabelecida pelo colonialismo. Fazem (fizeram) de Noémia de Sousa uma nacionalista carismática e singular nas Letras moçambicanas. Pela sua coragem de questionamento, pela frontalidade e denúncia dos males sociais de então, conquistou por mérito próprio um lugar cimeiro no pedestal dos poetas-combatentes, dos heróis-poetas e inscreveu o seu nome no historial dos mais consagrados Escritores e Poetas desta nossa pátria à beira do Índico.

Com a sua obra, Noémia de Sousa, mãe-poeta, poeta-mãe, conquistou uma dimensão universal e deixou profundas marcas nas percepções sobre a escravatura, sobre os malefícios do colonialismo e da opressão.

"Sangue Negro" constituiu-se como um alicerce duma Poesia que foi (e ainda é) o baluarte duma luta pelo reconhecimento da nossa identidade – como moçambicanos, africanos e entidades pertencentes a um mundo global, pela justiça colectiva e pela emancipação nacional.

Minha homenagem sincera e incondicional.

Pretória, 05 de outubro de 2016.

Luandino Vieira

Angola
ESCRITOR, ARTISTA PLÁSTICO

"Let my people go...", colagem sobre desenho a lápis de cor, de Luandino Vieira. Obra apresentada em sessão pública de celebração da poesia de Noémia de Sousa, na "Porta XIII - Associação Poética de Todas as Artes", em 26 de fevereiro de 2011. Reprodução ofertada pelo artista à Editora Kapulana em 2016, para a edição brasileira de *Sangue negro*, de Noémia de Sousa.

PORTA TREZE – Associação Poética de Todas as Artes
www.portatreze.wordpress.com

Let my people go...

Textos de edições anteriores

Noémia de Sousa

Sangue Negro

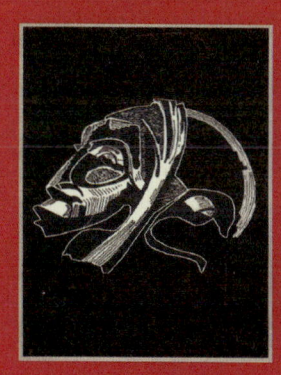

Associação dos
Escritores Moçambicanos

Reprodução da capa da 1a. edição (2001) de *Sangue negro*, de Noémia de Sousa, pela Associação dos Escritores Moçambicanos (AEMO).

NOÉMIA DE SOUSA: A METAFÍSICA DO GRITO *

FRANCISCO NOA
Pesquisador, ensaísta e Professor Doutor em Literaturas Africanas,
da Universidade Eduardo Mondlane, em Maputo, Moçambique.
Reitor da Universidade Lúrio (UniLúrio), em Nampula, Moçambique.

Se há um adjetivo que, à partida, pode caracterizar a criação poética de Noémia de Sousa, esse adjetivo é: emocionada. Porém, com esta catalogação, corremos o risco de enclausurar a escrita desta poetisa, pioneira voz feminina das letras moçambicanas, numa etiqueta que, desde logo, se apresenta como uma marca desqualificadora. Isto, se tivermos em linha de conta toda uma prática poética e metapoética que instituiu e consagrou o lirismo da modernidade.

Entre outros, pensamos no *dandysme* flanante e mundano de Baudelaire, no desregramento das sensações em Rimbaud, na dissolução do sujeito e no intelectualismo em Mallarmé, no distanciamento dramático em T.S. Eliot, no fingimento poético em Fernando Pessoa, em suma, no vitalismo criador que fez da poesia moderna o espaço do incessante e implacável estilhaçamento e de negação da subjetividade.

Porém, tendo em conta o acento personalizado da poesia de Noémia, a pulsação vibrante da interioridade do sujeito poético e a glorificação da emoção, até que ponto a sua escrita não se institui como festiva e arrogante recusa de uma tradição cristalizada e disseminada no Ocidente?

Como que a confirmá-lo, aí temos todo um conjunto de recursos linguísticos (juntamente com a língua portuguesa, intersectam-se irreverentemente registos da língua ronga e inglesa), estilísticos (a prevalência da adjetivação, da anáfora, da aliteração, da parataxe, da exclamação) e temáticos (a revolta, a valorização racial e cultural, a infância, a esperança, a angústia, a injustiça) que nos fazem claramente perceber que, por detrás da voz enunciatória de cada um dos poemas de *Sangue Negro*, se insinua a consciência de uma subjetividade dilacerada:

---

* Posfácio das edições moçambicanas de *Sangue negro*, de Noémia de Sousa, 2001 (AEMO – Associação dos Escritores Moçambicanos), e 2011 (Ed. Marimbique), revisto pelo autor Francisco Noa, em junho de 2016, para a Editora Kapulana.

> Nossa voz gemendo, sacudindo sacas imundas,
> nossa voz gorda de miséria,
> nossa voz arrastando grilhetas
>
> ("Nossa Voz", in NOSSA VOZ)

ou indignada: "Nós somos sombras para os vossos olhos, somos fantasmas" ("Passe"), inconformada:

> queria derrubar meu jazigo de alvenaria
> queria descer aos trilhos lamacentos,
> queria sentir o aguilhão da mesma revolta,
> queria sentir esse gosto indefinível de luta,
> queria sofrer e gemer e lutar
> para conquistar a Vida!
>
> ("Poema", in BIOGRAFIA)

Consciência que pode também ser nostálgica:

> Ah, meus companheiros me semearam esta insatisfação
> dia a dia mais insatisfeita.
>
> Eles me encheram a infância do sol que brilhou
> no dia em que nasci.
>
> ("Poema da Infância Distante", in BIOGRAFIA)

quando não, confiante: "Por isso eu CREIO que um dia / o sol voltará a brilhar, calmo, sobre o Índico.", etc.

Tal como a maior parte dos escritores africanos da sua época – como o serão, afinal, os das épocas subsequentes, conhecido e reconhecido que os períodos pós--independentistas, de estabelecimento das democracias e da mundialização do planeta continuam a exigir que cada vez mais as vozes dos escritores em África não emudeçam —, a voz poética de Noémia de Sousa transcende, em largos momentos, os limites egotistas, espaciais e temporais, instituindo-se, de certo modo, como uma voz de aspiração plural e universalista. Para Pires Laranjeira (1995: 499), trata-se da "ânsia de absoluto, a mística de fusão com o povo e o Continente".

Concorrem para tal aspiração, o recurso à apóstrofe afetiva ("E então, / tua voz, / minha irmã americana, / veio do ar, do nada, nascida da própria escuridão..." em

"A Billie Holiday, cantora"), ao sentimento coletivo ("E agora, sem desespero nem esperança, / seremos em breve fugitivas das ruas marinheiras da cidade..., em "Moças das Docas"), ao culto da utopia ("Poema para um Amor Futuro", "Se este Poema fosse"...), bem como aos mitos da liberdade, da igualdade, da fraternidade e do progresso.

Estamos, por conseguinte, perante o pendor assumidamente não-ensimesmado, não umbilicalista da escrita poética de Noémia que institui uma voluptuosa emotividade raciocinante e combativa. O sujeito parece emergir aí como efeito do seu confronto com o que lhe é exterior, desencadeando toda uma corrente de consciência responsável pelo tom declamatório e pelo virtuosismo apelativo desta poesia. A propósito, Ana Mafalda Leite (1998: 107) considera que "toda a poesia da autora aspira a ser vocal, escapando assim ao exílio silencioso da escrita".

E as encenações dialógicas que aí se assistem, se é verdade que contribuem para a carnavalização da linguagem, segundo Bakhtine, por outro lado, concorrem, para uma subjetividade que se insinua, inconformada, e que atravessa e unifica estilística e estruturalmente os poemas de *Sangue Negro*.

É, pois, na atmosfera ritualizante e celebratória do poema que a escrita de Noémia de Sousa, melódica e compassada, num ritmo por vezes inebriante, fustiga:

> Ó carrasco de olhos tortos,
> de dentes afiados de antropófago
> e brutas mãos de orango:
>
> ("Poema", in SANGUE NEGRO)

ou venera

> Ó minha Mãe África, ngoma pagã,
> escrava sensual,
> mítica, sortílega — perdoa!
>
> ("Sangue negro", in SANGUE NEGRO)

Divindade maior desta cosmologia é a liberdade ansiada (e ensaiada) e o exercício da palavra como instrumento consciencializador e aguerrido. E a expressão arrebatada se, por um lado, individualiza a expressão poética em Noémia, por outro, confere-lhe uma dimensão majestática e que faz do sujeito rapsodo das dores, dos anseios, da revolta, das resignações e dos mitos dos flagelados irmanados por um destino comum determinado pela ocupação colonial.

Enquanto expressão singular de negritude, a voz de Noémia não corresponde necessariamente à exaltação de um narcisismo gratuito de ser negro, mas trata-se da projeção do ser negro enquanto objeto da sujeição económica, política, cultural ou racial. E a história vai nos ensinando que as duas condições (a biológica e a instituída) se ligam de forma perversa e tautológica. Como diria Frantz Fanon, é-se negro porque se é dominado e é-se dominado porque se é negro.

Entretanto, traduzindo um claro cepticismo face às estratégias adoptadas pelo movimento da Negritude, a partir dos anos 30, Wole Soyinka defenderia que um *tigre não proclama a sua tigritude, mas ataca*. Isto é, o autor nigeriano interpretava essa atitude própria das franjas de africanos que, em contacto com a cultura e a civilização ocidentais, desenvolviam uma indisfarçável e sofrida crise de identidade. Este era um facto que, do seu ponto de vista, não parecia afetar a maioria do povo africano que, por isso mesmo, não sentia necessidade de provar o valor da raça e da cultura. E a poesia de Noémia de Sousa é, neste aspecto, paradigmática.

O pendor apelativo e messiânico que caracteriza o seu verso, a exaltação dos valores negro-africanos, o afrontamento corrosivo e irónico às imagens estereotipadas do europeu sobre os africanos e a (re)constituição da sua própria imagem identitária são algumas das marcas mais evidentes do alinhamento estético da escrita da Noémia que, no essencial, reivindica um profundo e ilimitado sentido humanista.

Face à conformação narrativa que caracteriza a poesia de Noémia de Sousa (tal como a de José Craveirinha), e a constituição proléptica e profética da ideia de nação, estamos, por conseguinte, perante uma escrita que faz depender essa nação ideada à forma como a própria poesia se constrói. Isto, em função, portanto, de uma reverbativa dimensão estética, ética, cultural e civilizacional.

Estrutura político-cultural em gestação, ou, simplesmente formação discursiva, segundo Michel Foucault, a nação decorre de uma recriação mítica que faz apelo aos valores de raça, geografia, história, tradição ou língua. E é aí, entre a sacralização da ancestralidade e a reiteração enunciativa dos valores acima mencionados, isto é, entre aquilo que Homi Bhabha (1995) distingue como pedagógico e como performativo, é que a ideia de nação adquire, em Noémia, uma materialidade e uma arquitetura singulares.

Plena de vitalidade, a poesia de Noémia celebra a própria poesia naquilo que ela significa em termos de melodia, ritmo,

> e os corpos surgiram vitoriosos,
> sambando e chispando,
> dançando, dançando...
>
> ("Samba", in MUNHUANA 1951)

e sensações

> a luz do nosso sol,
> a lua dos xingombelas,
> o calor do lume,
> a palhota onde vivemos,
> a machamba que nos dá o pão!
>
> ("Súplica", in NOSSA VOZ)

E é na forma exuberante como se (re)apropria do mundo que a envolve e do que flui no interior quer do sujeito individual quer do sujeito coletivo, que o "género Noémia de Sousa" se vai definindo. Instituindo uma temporalidade própria e muito marcada – passado *gratificante*, presente *sofrido*, futuro *optimista* –, Sangue Negro inscreve nos interstícios de cada verso o seu segmento eventualmente mais emblemático e controverso: um intenso clamor que prenuncia um silêncio confrangedor que vai praticamente acompanhar a autora até ao final dos seus dias.

Se, por um lado, com o olhar centrado na infância se reconstitui idílica e feericamente o Mito da Idade de Ouro, ou do Paraíso Perdido, por outro, ao projetar-se utopicamente para o futuro, morada da solução harmoniosa e palingenética, esta poesia tem no presente, um espaço enunciatório nuclear, ao mesmo tempo de padecimento, mas também propiciatório e invocador do que existe quer no foro privado quer como bem coletivo.

Atentando, entretanto, na forma como o futuro e o presente condicionam a voz poética que se configura como consciência plural, obviamente com um sentido coletivo e partilhado, é, contudo, na sua relação com o passado que tudo se radicaliza em relação à forma como essa mesma voz se apresenta. Trata-se, pois, de uma subjetividade envolta num manto de uma nostalgia envolvente, emergindo altiva no exercício reconstituinte conduzido pela memória:

> – Figuras inesquecíveis da minha infância arrapazada,
> solta e feliz:
> meninos negros e mulatos, brancos e indianos,
> [...]
>
> Ah, meus companheiros acocorados na roda maravilhada
> e boquiaberta de "Karingana ua karingana"
> das histórias da cocuana do Maputo,
> ("Poema da Infância Distante", in BIOGRAFIA)

Afinal, como diria Emmanuel Levinas (1988), é pela memória que o sujeito se funda *a posteriori*, retroativamente. Isto é, assume hoje o que, no passado absoluto da origem, não tinha sujeito para ser recebido e que, a partir de então, pesava como uma fatalidade:

> Quando eu nasci...
> [...]
> No meio desta calma fui lançada ao mundo,
> já com meu estigma.
> ("Poema da Infância Distante", in BIOGRAFIA)

Ainda, na percepção do filósofo franco-lituano, é a memória que realiza a impossibilidade e que, como inversão do tempo histórico, se firma como a *essência da interioridade*. Neste particular, a poesia de Noémia desfaz as asserções totalitárias que fazem dela pura expressão de uma alma coletiva onde a subjetividade está ausente. Subjetividade, que se institui como intersubjetividade, que se revê e se revitaliza na plenitude da sua condição feminina.

Para todos os efeitos, na sua salteante dialética com a temporalidade, a voz de *Sangue Negro* é uma voz que se propaga sonora, profetizando o seu próprio apagamento. Isto é, a utopia, em toda a sua imprevisibilidade, que se torna silêncio e morte. Paradoxalmente, ou não, é justamente aí, ou a partir daí, porque se transcende, que a poesia de Noémia de Sousa assume a sua condição de imortalidade: a crença, mesmo que irreligiosa, na palavra que se diz, que sonha e faz sonhar, que dói e faz doer, que reflete e faz refletir, mas que liberta mesmo que na contingente e precária duração de um grito que deixa o seu eco repercutindo-se no tempo e no espaço.

Maputo, outubro de 2000.

A MÃE DOS POETAS MOÇAMBICANOS *

NELSON SAÚTE
Jornalista, escritor e professor de Ciências da Comunicação em Maputo, Moçambique.
Autor, editor e organizador de obras de literatura moçambicana.

*Para a mana Gina
e em memória da nossa tia Camila*

Eu tinha 15 anos e o poema dizia: "Somos fugitivas de todos os bairros de zinco e caniço./Fugitivas das Munhuanas e dos Xipamanines,/viemos do outro lado da cidade/com nossos olhos espantados,/nossas almas trancadas,/nossos corpos submissos escancarados./De mãos ávidas e vazias,/de ancas bamboleantes lâmpadas vermelhas se acendendo,/de corações amarrados de repulsa,/descemos atraídas pelas luzes da cidade,/acenando convites aliciantes/como sinais luminosos na noite". Passados estes anos não sei proclamar o meu espanto. Mas lembro que sobre a retina daquele rapaz que eu era, na incauta leitura de uma antologia de Orlando Mendes (*Sobre Literatura Moçambicana*), ficou a reverberar um nome estranho.

Quem seria essa mulher que se escondia no nome de poeta Noémia de Sousa? – interrogou-se o menino que fui. Naquele então a literatura que conhecia era sobretudo o pecúlio trazido no ombro dos guerrilheiros. Era essa a poesia que sobrava das artes de declamação experimentada nos pátios das escolas, onde fomos continuadores da revolução e exaltadores de todas as utopias – tudo o que agora está inscrito no refluxo dos nossos sonhos.

Noémia de Sousa não constava no meu bornal de amador de poetas. Tinha lido, tinha dito, lá no alto da minha inocência, versos da chamada – e aclamada – poesia de combate. Mas desconhecia em absoluto esta mulher.

As buscas começaram imediatamente. Quem era Noémia de Sousa, autora daqueles versos frenéticos, daqueles versos longos e belos, que falava de moças fu-

---

* Introdução da 1a. edição moçambicana de *Sangue negro*, de Noémia de Sousa, 2001 (AEMO – Associação dos Escritores Moçambicanos), revista pelo autor Nelson Saúte, em junho de 2016, para a Editora Kapulana.

gitivas dos bairros onde estavam acantonados na mais vil miséria, das Munhuanas e dos Xipamanines, do outro lado da cidade, com os olhos espantados?

Carolina Noémia Abranches de Sousa era o nome dela. Nascera a 20 de setembro de 1926, ali na Catembe, numa casa à beira do Índico, albergue que seria celebrado num dos seus poemas mais emblemáticos.

Não tardou a descobrir que esta mulher escrevera apenas durante três anos, o bastante para incendiar o rastilho da poesia que reivindicava a personalidade dos oprimidos, que fundava a literatura dos marginalizados. Tudo isto entre 1948 e 1951. Hoje, neste ano prodigioso de 2001, vemo-la aqui, em livro, na celebração dos 50 anos, sobre o silêncio. Silêncio quebrado em 1986 aquando da morte de Samora Machel, reincidência praticada anos depois, num dos textos mais belos e comoventes, que Carlos Pinto Coelho fez publicar no seu álbum de fotografias *A meu ver*.

Noémia viveu na Catembe, do outro lado da baía de Maputo, até aos seis anos, quando se mudou para a então Lourenço Marques. O pai, funcionário público, era originário de uma família luso-afro-goesa da Ilha de Moçambique. Foi ele que a ensinaria a ler aos quatro anos, movido provavelmente pelas mesmas ideias de progresso que animavam personalidades como Estácio Dias (pai de João Dias) ou os Albasini, com quem convivia. Sua mãe, nascida na Bela Vista, para lá da Catembe, era filha de um alemão (Max Bruheim), caçador e negociante, e da filha de um chefe ronga, Belenguana.

A morte do pai, ocorrida quando Noémia tinha oito anos, veio transformar as condições de vida da família, que vivia até então relativamente desafogada, vendo-se a mãe da poetisa a braços com o sustento de seis filhos, dois deles a estudar em Portugal, com a ajuda de uma tia paterna. Aos 16 anos, Noémia de Sousa teve que se empregar, mas estudava à noite na Escola Técnica, onde frequentava o curso de Comércio.

A vocação da escrita foi precoce, iniciara-se fazendo jornais de parede com os irmãos. O mano Nuno, um dia, veio confidenciar-lhe que havia um amigo – Antero, a quem dedica um dos seus poemas iniciais – que estava num grupo de outros rapazes que tinham tomado de assalto, por assim dizer, o *Jornal da Mocidade Portuguesa*, sob a direção do poeta Virgílio de Lemos (o mesmo que mais tarde iria editar a folha *Msaho* de poesia, que estava nos antípodas do que Noémia de Sousa poderia defender) e que solicitava uma colaboração sua.

Noémia escreveu o "Poema ao meu irmão negro". Assinou-o com as iniciais: N. S. Provocou alvoroço. Quem seria NS? A esta distância este título parece inocente, mas quem atentar para a época não terá dificuldades em sublinhar a coragem inusitada da jovem Noémia de Sousa.

Cassiano Caldas, funcionário dos CFM, ligado ao projeto *Itinerário*, onde colaboraram muitos dos poetas que se haveriam de consagrar no período anterior à Independência de Moçambique, deu-lhe a conhecer a revista *Vértice*. Foi nessa revista que leu, pela primeira vez, Nicolás Guillén, o poeta cubano do *Songoro Cosongo*. Leu depois muitos livros sobre a vida dos negros americanos em tradução brasileira. Entre a situação do Sul dos EUA e a situação em Moçambique daquele tempo, Noémia conseguia estabelecer similitudes.

Longe consagrava-se a Negritude, mas Noémia não a conhecia. Foi através da afirmação dos valores dos oprimidos que a poetisa se sentiu perto das ideias defendidas, na época, por pessoas como Leopold Senghor ou Aime Cesaire (de quem veio a traduzir mais tarde o famoso "Discurso sobre o colonialismo"). Mas não os lera, nem outros dos que nela pontificavam. Ela vivia distante na sua Munhuana, lendo sobretudo os escritores neorrealistas portugueses, que lhe chegaram pela mão de Cassiano Caldas.

Ao tempo que Norton de Matos foi candidato às presidenciais em Portugal, Noémia de Sousa começou a frequentar outros jovens que despontavam para as artes e letras em Moçambique: Ruy Guerra, Ricardo Rangel, entre outros.

João Mendes, irmão do escritor Orlando Mendes, era um congregador de jovens e utopias, ajudando a mapear uma nova realidade, distante da estratificação racial. Não escrevia, unia. A sua atividade, da qual resultava a junção dos rapazes da Polana, chamemos-lhe aristocrática, à Mafalala empobrecida, valeu-lhe a deportação. João Mendes é um dos homenageados pela poesia de Noémia de Sousa.

Noémia iniciou a sua colaboração com *O Brado Africano* quando se procurava terminar o projeto da Associação Africana. Entrincheirados na defesa da causa estavam: Cassiano Caldas, Henrique Dahan, Brassard, Miguel da Mata, Víctor Santos (irmão de Marcelino dos Santos), Nobre de Melo, Amália Ringler, Dolores Lopes, entre outros. Estes angariavam dinheiro para finalizar as obras da Associação. Noémia de Sousa escrevia na "Página Feminina" de *O Brado*. Publicava poemas.

N'*O Brado Africano* ainda ressoava o nome de um Rui de Noronha, a quem Noémia via passar em frente de sua casa. Nunca falou com ele. Também não conviveu com João Dias, outro dos nomes tutelares da nossa literatura. Contudo, a jovem não se esqueceu dos papéis que ambos desempenharam na fundação da literatura moçambicana, de que é um dos mitos fundadores.

Naquele tempo não se podia imaginar dispositivos comunicacionais como a televisão. A caixinha mágica não chegara ainda, mas frequentava-se o cinema, sobretudo as matinés, no Scala, no Gil Vicente ou no Varietá. Ouvia-se música em grafonolas. Conspirava-se. Noémia de Sousa cresceu nesse ambiente de reivindicação.

Poder-se-ia considerar assim uma nota que redigiu para *O Brado Africano*, referindo-se a um jovem moçambicano que motivava uma forte manifestação de solidariedade na África do Sul por não lhe ter sido concedida a prorrogação do visto de residência temporária pelo Governo de Malan, o que o impediu de prosseguir os estudos na Universidade de Witwatersrand. Esse jovem chamava-se Eduardo Chivambo Mondlane. Conheceu-a depois, regressado a Moçambique, antes de embarcar para Lisboa, onde permaneceu um ano antes de rumar para os Estados Unidos da América.

Noémia, que participara nas atividades do MUD-Juvenil, que distribuíra panfletos à noite com João Mendes, que escrevera cartas subversivas, que redigira artigos cortados pela censura, que conspirara, não escapou à prisão. O cerco apertava-se. Em 1951 teve de partir, seguindo o extenuante caminho do exílio e deixando atrás de si, na PIDE, o Processo 2756 CI (2).

Mário de Andrade, quando soube que ela ansiava partir, escreveu-lhe encorajando-a. Desembarca em Lisboa quando a "geração da utopia" (no dizer de Pepetela) sondava as independências. O Centro de Estudos Africanos, do qual fez parte, funcionava na rua do Vale, 37, casa da Tia Andreza, tia de Alda do Espírito Santo, de São Tomé e Príncipe, companheira de jornada.

Amílcar Cabral, Mário de Andrade, Marcelino dos Santos, Lúcio Lara, Agostinho Neto, Francisco José Tenreiro eram os nomes mais conhecidos da intelectualidade africana em Portugal. Com eles Noémia de Sousa partilhou as ações que estão na base da fundação dos movimentos de libertação de cada país. Este período precisa de ser melhor cotejado, mas, tanto quanto sabemos, a participação de Noémia não foi episódica. Antes pelo contrário, foi ativa.

Noémia de Sousa foi companheira de jornada destes nacionalistas. Quando a PIDE cerceou o pouco espaço que tinham de intervenção, os jovens decidiram-se por França, onde aliás Noémia irá buscar refúgio da ditadura, com uma filha às costas – Virgínia Soares (ou melhor, Gina). Saltou a fronteira, galgou os Pirinéus e alcançou a liberdade. Casara-se em 1962 com o poeta Gualter Soares.

Marcelino dos Santos conseguiu emprego no Consulado de Marrocos em Paris. Entretanto, Lilinho Micaia partiu para outra frente de combate, em Dar-es-Salaam.

Vera Micaia (quero eu dizer: Noémia de Sousa) atardou-se por Paris até 1973, ano em que decide regressar a Portugal, para preencher uma vaga na agência Reuter. Não adivinhava que a revolução estava à porta.

No dia 25 de Junho de 1975 estava na sua casa de Algés na companhia dos legendários futebolistas Eusébio da Silva Ferreira e Hilário da Conceição e respectivas mulheres. Não fora convidada para a Independência. Anos mais tarde, na mesma casa, havia de me confidenciar que tal facto a deixara magoada.

Trinta e três anos depois da partida, regressa à grande casa deitada à beira mar. Essa "*casa*" talvez não fosse apenas a casa da Catembe, talvez fosse Moçambique ou mesmo África. Foi um reencontro mediado por lágrimas, tremendamente emocionado. Há um poema onde ela intenta o sonho: "Um dia o sol inundará a vida e será como uma nova infância raiando para todos". Eram os anos da bicha nos talhos pela madrugada, do carapau de Angola cozido e recozido, da farinha amarela, do repolho feito de todas as formas. Eram os anos da crise, da falta de luz, da falta de água. Foi no tempo em que o desespero se apoderava dos moçambicanos. Era o tempo em que a revolução expulsava os bastardos para o Niassa. Anos 80! Foi quando Noémia visitou a terra. A pátria.

Noémia de Sousa estava já na condição de um mito, um mito afirmado nos armoriais da literatura moçambicana. Seus poemas tinham sido adoptados para estudos nos compêndios da escola da FRELIMO na luta armada e agora eram lidos nas escolas moçambicanas. Seu legado tinha sido recuperado pelos poetas de outras pátrias como Angola, Cabo Verde, Guiné-Bissau, S. Tomé e Príncipe.

Entretanto *O Brado Africano, Itinerário, Msaho, Mensagem* (em Luanda), *Notícias do Bloqueio* (no Porto), *Moçambique 58, Vértice,* entre outras publicações moçambicanas e estrangeiras haviam-na publicado com ênfase.

Mas também Carolina Noémia Abranches de Sousa, aliás Noémia de Sousa, comparecera nas antologias: *Caderno de Poesia Negra de Expressão Portuguesa*, em 1953, veja-se a que tempos!, uma antologia organizada por dois saudosos companheiros de jornada literária e de luta cívica: Francisco José Tenreiro (poeta são-tomense de grande quilate) e Mário Pinto de Andrade (o historiador, o intelectual, sobretudo a consciência crítica desta "geração da utopia", para pilhar uma vez mais a expressão do Pepetela).

Cinco anos depois da edição deste caderno, que era singularmente dedicado ao poeta cubano de *Songoro Cosongo*, que vivia exilado em Paris, longe da sua La

Habana, onde ainda sobrevivia Fulgêncio Batista, que rapidamente seria expulso por Fidel Castro, "Che" Guevara e outros guerrilheiros que desceram da Sierra Maestra – Nicolás Guillén –, viria a lume *Poesia Negra de Expressão Portuguesa*, desta feita editada em Paris, para onde fugira exilado o seu organizador – Mário Pinto de Andrade.

Na altura, Mário de Andrade montara banca na *Présence Africaine*, importante publicação no contexto da afirmação dos valores dos povos mudos da História. Ano depois, em 1959, a Casa dos Estudantes do Império (CEI), que tinha uma atividade editorial significativa, responsável pela revelação de grandes nomes da literatura africana de língua portuguesa – José Craveirinha lá se havia de estrear em livro com *Chigubo* em 1964 – faz editar a antologia *Poesia em Moçambique* (separata da *Mensagem*), onde Noémia de Sousa não é ignorada.

A mesma CEI editará em 1960 e 1962 duas antologias intituladas *Poesia de Moçambique*, ambas prefaciadas por Alfredo Margarido, que estão na origem de uma polémica, uma das mais interessantes da época, desencadeadas por Eugénio Lisboa, que praticava já um juízo crítico cáustico e cauterizante.

Noémia de Sousa era já um nome afirmado a despeito do facto de ser inédita em livro próprio. Lida e seguida não só em Moçambique, mas em outros países onde uma visão da literatura, como instrumento de confrontação ideológica, tinha lugar.

Outras antologias importantes que recolhem os seus poemas: *Antologia Temática da Poesia Africana – Na noite grávida de punhais*, organizada também por Mário Pinto de Andrade. Dez anos depois, em 1985, Manuel Ferreira acolheu-a em *No reino de Caliban III*, antologia dedicada à poesia de Moçambique. Aliás, convirá dizer, como testemunho para o futuro, que Manuel Ferreira foi dos primeiros a tentar publicar Noémia de Sousa em livro. A poetisa, avessa à publicação, alegou que queria que seus poemas fossem, antes de tudo, primordialmente editados em Moçambique, onde é estudada nas escolas, lida através de textos avulsos que circulam, de mão em mão, fotocopiados, policopiados. A supracitada antologia de Orlando Mendes refere-a. Na *Antologia da Nova Poesia Moçambicana*, que eu havia de coorganizar com Fátima Mendonça, editada pela AEMO em 1993, coligimos os versos a Samora Machel, feitos a pedido do sobrinho Camilo de Sousa, para um documentário sobre o Presidente.

Há 15 anos precisamente, quando Noémia completava 60 anos, escrevi *Carta a Noémia de Sousa*. O texto é incipiente mas foi recolhido num dos manuais escolares do nosso ensino secundário. Foi lido na *Rádio Moçambique* no dia 20 de setembro de 1986. Mandei-o à "Gazeta de Artes e Letras" da revista *Tempo*. O coordenador, meu amigo Gilberto Matusse, esqueceu-o na gaveta. Contudo, um ano depois, havia de publicá-lo.

A primeira vez que aterro em Lisboa, cometo a ousadia de telefonar a Noémia. Levava comigo o seu número de telefone, dado pela Fátima Mendonça. Começa tudo aí, nesse encontro em Algés, festejando a nossa Independência – era Junho! –, comendo feijoada e lendo Carlos Drummond de Andrade. Nos anos que em Portugal, errei como estudante, fui visita constante de Noémia de Sousa. Hoje, quando lá vou, não posso regressar sem a ver.

Em todos estes anos insisti, como o fizeram muitos, na edição dos seus poemas. Noémia arranjou todos os subterfúgios, mas há alguns anos, depois de ter recusado convites de Manuel Ferreira, Michel Laban, entre outros, ela acedeu publicá-los.

Houve diversas iniciativas para o fazer através da Associação dos Escritores Moçambicanos, a que estiveram ligados primeiro Rui Nogar e Calane da Silva, depois Leite de Vasconcelos com Fátima Mendonça e Júlio Navarro.

Não se concretizaram estas iniciativas (tratava-se, sobretudo, de fixar o texto definitivo e obter assentimento da poeta em publicar), mas Noémia reconheceu finalmente que a sua modéstia não deveria constituir impedimento para a publicação do livro – o que para muitos permanecia inexplicável – e confiou-me a grata tarefa de organizar a edição do mesmo.

Na altura, Rui Knopfli – foi Noémia de Sousa quem mo apresentou, em 1989, tantas vezes confidenciei a minha admiração por ele! – ficou encarregado do prefácio. Knopfli exilou-se definitivamente deste reino sem ter escrito o texto.

Cinquenta anos depois do abandono da escrita, temos o beneplácito dos deuses e este *Sangue Negro* é finalmente editado. Noémia de Sousa não o releu, nem o corrigiu, tendo concordado que os poemas permaneceriam na versão (original) policopiada, que se encontra depositada no Arquivo Histórico de Moçambique, devendo apenas ser atualizada a respetiva ortografia.

As razões que explicam o facto de eu ser quem redige estas notas iniciais são as mesmas que explicam o facto de Fátima Mendonça ser a autora do ensaio que enquadra histórica e literariamente a poetisa e Francisco Noa discorrer sobre alguns aspectos desta poesia. Todos nós temos uma relação de superior admiração e grande amizade e afeto com Noémia de Sousa e pertencemos ao parco clube dos que a visitam incansavelmente e nunca desistiram de insistir na edição de sua obra.

Este livro transcende a condição de uma recolha de poemas. É, antes de tudo, um testemunho da nossa História. Neste volume ecoa uma voz, uma bela voz. Sobre esta voz ressoam outras vozes. Foi desta voz que se incendiaram outras tantas vozes. Talvez por isso qualquer apresentação seja incompetente.

Costumo dizer que Noémia de Sousa faz parte dos meus antepassados literários. Digo-o com inescondível afeto. Não há, não pode haver, um privilégio maior do que amar esta mulher a quem hoje (re)apresento e de quem tenho o privilégio de chamar "Mãe". Não só porque ela é, como diz a lenda, a *Mãe dos poetas moçambicanos*, mas porque entre nós há muito que o afeto e a amizade perderam fronteiras e fundaram verdadeiros laços de família. O que permanece, estou certo, é o espanto sempre que a releio. Regresso incauto ao menino de 15 anos que, suponho, nunca deixarei de o ser.

Maputo, 5 de julho de 2001.

MOÇAMBIQUE, LUGAR PARA A POESIA *

FÁTIMA MENDONÇA
Professora aposentada da Universidade Eduardo Mondlane, Maputo, Moçambique.
Investigadora integrada do CLEPUL (Centro de Literaturas e Culturas Lusófonas e Europeias)
da Universidade de Lisboa, Portugal. Autora de diversos ensaios
sobre literaturas africanas e literatura moçambicana.

UMA PEDRADA NO CHARCO

Se retomo neste texto o título do ensaio de Augusto dos Santos Abranches, é porque me parece justo introduzir, neste lugar, a percepção que o mesmo teve do papel que a poesia moçambicana poderia vir a representar, nos finais dos anos quarenta, num pós-guerra marcado por profunda transformação de mentalidades.[1]

Com efeito, Augusto dos Santos Abranches poucos anos transcorridos sobre a sua chegada a Moçambique, tomando como modelo a produção literária de Cabo Verde – que já então se autonomizava –, lamentava:

> (...) em vez de conhecer e integrar-se nesse assombroso movimento literário que está rompendo no arquipélago de Cabo Verde, criação essa poética até na angústia que as ilhas asfixiam, (...); criação essa poética até na revolta e no subjugamento, Moçambique dorme ou mede as suas divagações pela intensidade do luar da noite" (...). Para Moçambique, (...), o exemplo de Cabo Verde pode e deve ser um estímulo para a criação da sua literatura, um abraço irmão. Pode e deve ser a indução do seu lugar para a poesia.[2]

Poucos anos depois desta sua intervenção, Augusto dos Santos Abranches foi 'surpreendido' por um poema publicado no jornal *O Brado Africano*, em Fevereiro de 1949, com o título "Poesia não venhas!", assinado com as iniciais N. S.. Entusiasmado com a 'descoberta' refere no jornal *Notícias*:

---

* Introdução da 1a. edição moçambicana de *Sangue negro*, de Noémia de Sousa, 2001 (AEMO – Associação dos Escritores Moçambicanos), revista pelo autor Nelson Saúte, em junho de 2016, para a Editora Kapulana.

> Foi pois com uma surpresa e uma alegria desmedidas que topámos no semanário de Lourenço Marques, *O Brado Africano*, com o poema "Poesia não venhas!" Que N. S. assina. A primeira reacção foi a de estarmos em presença de um plágio. Para isso, o ritmo do poema nos convidava. Mas a nossa lembrança, por mais esforçada que fosse, não conseguia encontrar nos seus esconderijos, que Freud classificou, nada que elucidasse onde e por quem poderia ter sido escrito o poema. Cremos pois que N. S. é e o seu autor (...) Autor ou autora, esclareça-se.[3]

Embora a própria Noémia de Sousa tenha valorizado este episódio, há poucos anos, em entrevista a Nelson Saúte[4], afirmando que "se não tivesse surgido um Augusto dos Santos Abranches a chamar a atenção para o meu nome talvez permanecesse desconhecida até hoje", penso que o fenómeno que constituiu – e constitui ainda hoje – a recepção de meia centena de poemas, dispersos pelas páginas de *O Brado Africano* – coligidos numa brochura mimeografada, distribuída por amigos – só pode ser explicado por causas mais profundas.

Como Rui Knopfli acentua, em evocação que faz desse período, o marasmo a que estava votada a produção literária, nos finais da década de 40, tornava já inaudível o eco de Rui de Noronha e, as manifestações literárias que se lhe seguem, constituíam apenas "o prolongamento, quase sempre anémico, de estilos e hábitos metropolitanos, ainda quando incidem sobre a realidade circundante pois raramente excedem o relato externo e superficial de um exotismo de fachada. É a época dos batuques sensuais, dos poentes cor de fogo e das palmeiras esguias e ondulantes;"[5]

A opinião de Rui Knopfli poder-se-á aplicar a autores como Caetano Campos, cujo livro de poemas *Nyaka* (húmus), (1942), revela tendências próximas da poesia negrista, exploradas mais tarde pelo luso-tropicalismo, assim como a muita da poesia dispersa pela imprensa da época e, que de alguma forma, esgotavam a dinâmica literária protagonizada pela geração de letrados, que emergira de *O Africano* e de *O Brado Africano*, nas décadas de vinte e trinta, de que João Albasini e Rui de Noronha – entre outros – são representantes.

A poesia de Noémia de Sousa, que aliás já se iniciara em 1948[6], indiciava pois uma nova atitude estética que, como a maior parte dos movimentos e correntes literárias, não pode ser dissociada de razões de ordem histórica. Entre muitas razões prováveis parece-me importante salientar o clima provocado pelas alterações históricas determinadas pelo final da segunda guerra mundial, a que se juntaram condições políticas específicas, provocadas pela candidatura de Norton de Matos (opositor de Salazar) à presidência da República em Portugal, em 1948. A própria Noémia de Sousa foi participante ativa, com João Mendes e Ricardo Rangel, no movimento cívico e político que, aproveitando a 'abertura' política que antecedeu as eleições de 1949, criou em Moçambique uma extensão do MUD, (movimento unitário com ligações, hoje reconhecidas, com o Partido Comunista Português) o que, logo a seguir – passada a pseudoabertura salazarista – provocou a sua prisão e a deportação de João Mendes e de outros membros da organização[7]. O sentimento de resistência ao colonialismo, já presente noutros sectores da sociedade colonizada, estava pois a alargar-se a grupos provenientes da pequena burguesia urbana africana e europeia. Este sentimento transita para as formas literárias, assumindo contornos ideológicos, que projetam a rejeição do carácter colonial do contato com Portugal.

Alguma desta literatura emergente deixa perceber a sedução pela ideia de uma síntese futura entre duas visões do mundo, duas formas de expressão: a africana e a europeia. Pode-se dizer que esta foi a proposta – embora ténue – de Orlando Mendes em *Trajectórias* (1940), *Cinco poesias do mar Índico* [conjunto de poemas publicados na Seara Nova em 1947] e *Clima* (1959) assim como de João da Fonseca Amaral e de Rui Knopfli na sua primeira fase. É o próprio Rui Knopfli quem recorda que Orlando Mendes constituiria "a linha de cota que rompia e nos separava do soneto de importação e do verniz de um folclore postiço", destacando igualmente o papel de João da Fonseca Amaral que, "um pé colocado na Polana aristocrática, outro mergulhado nas areias suburbanas do Alto-Maé" teve uma ação de elemento dinamizador e aglutinante da geração intelectual que amadureceria ao longo da década de cinquenta, sob a dupla influência de correntes estéticas modernistas e das ideologias pan-africanistas.[8]

Com Noémia de Sousa, está-se perante uma poesia de onde emerge uma temática nova, associada a um discurso torrencial e emotivo, – uma "poética da voz", como refere Ana Mafalda Leite[9] – orientada para a afirmação negritudinista, o que em Moçambique, na época, assumia carácter inovador. Com a parte dos poemas de José Craveirinha, que dão continuidade e reelaboram esta orientação temática, estes poemas constituem hoje uma irrecusável referência para a história literária de Moçambique.

No seu conjunto, a produção poética da década de cinquenta adquire a forma de projeto de criação de um espaço literário próprio. Os jornais *Itinerário*, *O Brado Africano* e a iniciativa [sem continuidade] de *Msaho* vão constituir o suporte material desta ação, que adquiriu o aspecto de movimento político e cultural.

Poder-se-á assim explicar a emergência de um grupo, com afinidades estéticas éticas, cuja ação se desenvolveria nesses finais de quarenta e início de cinquenta e a que estiveram ligados, de uma forma ou de outra, Noémia de Sousa, José Craveirinha, Rui Nogar, o próprio Rui Knopfli, o pintor António Bronze e o hoje cineasta Rui Guerra, celebrizado pelo "cinema novo" brasileiro.

Mas, a riqueza deste período da história literária de Moçambique reside no facto de, em simultâneo com esta, terem emergido igualmente outras tendências, a configurar outros grupos, que também procuravam formas de afirmação estética. Julgo ser importante destacar aqui o núcleo surgido em torno de Reinaldo Ferreira, Cordeiro de Brito e Fernando Ferreira e da sua atividade de tertúlia, desenvolvida no café Scala. Do mesmo modo, a aproximação ao surrealismo, iniciada por Duarte Galvão/Virgílio de Lemos – ainda não suficientemente valorizada pelos estudos realizados – permite avaliar o carácter de abertura e de modernidade da produção poética desta época.[10] Creio que a iniciativa de *Mshao* levada a cabo por Virgílio de Lemos (editor com Domingos de Azevedo e Reinaldo Ferreira), Antero Machado (diretor artístico) e Eugénio de Lemos (secretário), representou, ao fim e ao cabo, uma forma de aglutinar tendências diversificadas naquilo que designaríamos hoje como a *comunidade imaginada* (incluindo a representação da literatura oral e de outras formas de arte). Não admira portanto, que, no primeiro (e único) número de *Msaho*, o maior destaque tenha sido para "Poema da infância distante" de Noémia de Sousa, porquanto este se adequava tematicamente à configuração utópica da proposta de *Msaho*, contida na nota de abertura:

> contra todas as previsões e contra toda a expectativa temos neste momento a consciência de que a poética de "Msaho" não constitui uma corrente distinta diferenciada com raízes vincadamente moçambicanas (...) mas o que nesta primeira folha revela ainda desencontro estético, formal ou expressivo numa segunda folha poderá tornar-se homogéneo e vir a definir uma força resultante do contacto com elementos nativos, que hoje ainda formam uma massa disforme dependente e incolor.[11]

Este fenómeno de identificação produziu-se igualmente a partir da Cabo-Verde, S. Tomé e Angola, onde toda uma geração de intelectuais surge na cena cultural e política de tal forma que, ao mesmo tempo que acolhia tendências estéticas oriundas dos vários modernismos, se enquadrava ideologicamente em formas de problematização, ou de contestação do sistema colonial e dos seus epistemas, orientadas para projeções identitárias.

DO ALHEIO AO PRÓPRIO: CONSTRUIR A TRADIÇÃO

Vários estudiosos da literatura moçambicana têm chamada a atenção para o carácter de modernidade das manifestações literárias ocorridas em Moçambique após 1945.[12]

Contudo, na maior parte dos casos, as convergências com movimentos literários contemporâneos, foram percebidas como meras influências sem que, de um ponto de vista comparatista, se atentasse nas formas como, sucessivamente, movimentos como a Negritude, Modernismo Brasileiro, Presença ou Neorrealismo, foram sendo recebidos e transformados pelos autores negros moçambicanos.

Parece-me que os níveis de recepção das teorias que enformaram estes movimentos foram variados e será necessário delimitar e caracterizar o quadro histórico, social e cultural de recepção das ideias estéticas e éticas por eles veiculadas.

Isso permitirá mostrar a convergência, na literatura moçambicana, de elementos estéticos que nas literaturas de referência se revelaram incompatíveis, como, por exemplo, a integração simultânea de processos oriundos da estética presencista e neorrealista ou negritudinista, em contextos ideológicos marcados pelos nacionalismos africanos, alimentados por concepções marxistas.

A poesia de Noémia de Sousa, diferentemente da de Rui de Noronha, cujo papel predominante foi o de referência fundadora, (tenha-se em vista a recepção da poesia de Noronha, desde a sua morte em 1943), vai constituir modelo e apresentar reiterações futuras, intertextualmente formuladas sob a forma de referências directas, alusões ou apropriações temáticas, imagísticas e retóricas. Contudo, desenha-se já o que os aproxima, a ocupação de um espaço duplo: o da tradição literária portuguesa e aquele que é instituído pela sua própria 'performance'. Como é que esta dupla herança se articula de modo a que os textos se possam assemelhar aos dos seus antecedentes portugueses, mas sejam diferentemente "negros", para retomar a expressão de Pires Laranjeira[13] ou pelo menos "não portugueses"? (isto é, Outros).

Ocorre-me recorrer a Henry Louis Gates Jr., quando reflete sobre a problemática geral da alteridade do texto "negro":

> *Canonical Western texts are to be digested rather than regurgited, but digested along canonical black formal and vernacular texts. The result, in work such as that by Aimé Césaire, Ralph Ellison and Soyinka, is a literature 'like' its French or Spanish, American or English antecedents, yet differently 'black'.*[14]

Para melhor explorar esta questão gostaria de chamar a atenção para um elemento que, sendo comum a outros poetas moçambicanos, produz na poesia de Noémia de Sousa, um efeito que me parece ter sido decisivo, para o papel de modelo que veio a assumir nos diferentes níveis de recepção que obteve.

Trata-se da forma como, através de varias estratégias intertextuais, historiciza os textos encaminhando-os para a expectativa que rodeia um certo espaço (África) e um certo tempo ideológico (a emergência dos nacionalismos africanos).

Se tomarmos como exemplo o "Poema a Rui de Noronha", poder-se-ão verificar analogias com dois poemas do poeta neorrealista português Joaquim Namorado, intitulados "Navegação à vela" e "Manifesto"[15].

Para mostrar o trabalho intertextual realizado por Noémia de Sousa, reterei uma das características da poesia de Joaquim Namorado desta fase, assinaladas por Carlos Reis (447- 456)[16] i.e. o carácter fortemente injuntivo e emocional da enunciação o que, em sua opinião, não permite a eficácia ideológica anunciada pelo programa neorrealista. Essa característica está efetivamente presente em "Navegação à vela":

> Vai
> pelos caminhos seguros
> nos vapores das companhias
> com a certeza de aportar...
> deixa
> que eu continue sendo
> o último tripulante
> da fragata naufragada
> neste mar dos tubarões[16]

Ora Noémia de Sousa utiliza no seu "Poema a Rui de Noronha" a estrutura vai (tu) vs deixa (eu) e a oposição semântica implícita do poema "Navegação à vela", mas amplificando as potencialidades nela contidas, e que Joaquim Namorado limitou, como bem refere Carlos Reis (454)[17], à construção da imagem abstrata do poeta arauto – deixa que eu continue sendo o último tripulante. O resultado no poema de Noémia de Sousa "(...) Mas o archote, murcho e fraco/que tuas mãos diáfanas mal logravam suster/deixa que nós o levemos!" é produzido pela amplificação sistemática dessa oposição em que a imagem do poeta arauto de Joaquim

Namorado se transforma, no texto de Noémia de Sousa, em força coletiva (Nós), descrita e nomeada (África/nação) "nossa terra natal/nossa África/nossas brônzeas, fortes mãos/revolta nascida nas veias entumecidas/"

Do mesmo modo a sequência metafórica próxima da alegoria – "o último tripulante/fragata naufragada/mar de tubarões" – é transformada numa cadeia de metáforas a partir dos lexemas archote-fogueiras-chama-lume-chama que se articulam com a representação do sujeito brônzeas, fortes mãos – revolta – peitos esmagados, criando um efeito referencial ausente do poema de Joaquim Namorado.

Também a construção do alocutário é amplificada pela apropriação e transposição de elementos representativos da estética neorrealista, isto é pela oposição entre contemplação e ação, presentes no poema "Manifesto":

> Deixa os suspiros profundos
> e parte a guitarra mágica que te deixou D. Juan...
> deixa-me esse ar de sombra de trapista!
> Vem para a rua, para o sol, para a chuva!
> Ama sem literatura, como um homem!
> Deixa dormir os papiros
> na meditação das múmias faraónicas.
> – A vida é a única lição.[18]

O resultado é, em Joaquim Namorado, a identificação militante com uma realidade abstrata, daí advindo, creio, a falta de eficácia referida por Carlos Reis, enquanto no poema de Noémia de Sousa se constrói um modelo mais concreto e humanizado Rui de Noronha/meu irmão/sangrando de amores/.

Esta característica historicizante da poesia de Noémia de Sousa (e eu diria mesmo, de grande parte da poesia moçambicana) é referida por Pires Laranjeira, no bem documentado estudo sobre a negritude africana de língua portuguesa, nestes termos:

> O discurso do negro é pois, injuntivamente mais preciso, descritivo e ideológico que o do Neo-realismo português, em condições de publicação e divulgação tanto ou mais agrestes, mas sem abandonar uma estratégia discursiva de cariz estético tradicional, modelada pela pressão dos circunstancialismos conhecidos.[19]

Ao amplificar as potencialidades do hipotexto (neorrealista) Noémia de Sousa introduz no novo texto (moçambicano) uma forte historicidade, religando-o a um espaço particularizado (Moçambique) e a um tempo concreto (o das explosões nacionalistas africanas). O poema marca a História e faz-se sua representação:[20]

> nossas almas passivas aprendem a querer/com força, com raiva/e se erguem guerreiras, para a dura luta/ (...) Que fizeste de África, poeta?"

EM HARLÉM, NO CORAÇÃO DA MAFALALA: TRANSFORMAR O MUNDO

Em Moçambique, assim como em Angola, a estética da Negritude teve repercussões, embora a poesia marcada por alguns dos seus códigos discursivos ultrapasse os códigos ideológicos, temáticos e estéticos característicos do Movimento, tal como se manifestaram, quer na poesia da Renascença Negra, quer na poesia da Negritude de Paris, e se aproxime de gestos literários próximos de outros movimentos modernos, nomeadamente o Neorrealismo português e o Modernismo brasileiro.

Surgida com alguns anos de atraso, relativamente ao Movimento nas suas manifestações americanas ou parisienses, por razões históricas compreensíveis, coube às gerações dos anos cinquenta de Angola e Moçambique, desenvolver o que, na poesia do poeta são tomense Francisco José Tenreiro, se pressentia: uma corrente estético-literária sintonizada com as tendências de ruptura que orientaram os vários modernismos, tendo chegado, nalguns casos, a excedê-los.

Ultrapassando a representação essencialista da identidade negra, tão cara a Senghor, esta poesia acaba por integrar elementos ideológicos que lhe permitiram funcionar simultaneamente como Manifesto estético e Manifesto político.

A poesia de Noémia de Sousa é, deste ponto de vista, paradigmática pois orienta-se para uma temática marcadamente nova (no contexto moçambicano) onde recorrentemente emerge África desdobrada em vários símbolos (Mãe, Energia, Redenção) do mesmo modo que os ecos longínquos e distantes de Harlém nela perpassam, como acontece no poema "A Billie Holiday, cantora": "(...) e então/ tua voz minha irmã americana/veio do ar, do nada, nascida da própria escuridão/ estranha, profunda, quente/vazada em escravidão (...)".

Essa inovação temática desenvolve-se para uma insistente representação do quotidiano suburbano: o contratado, o estivador, o mineiro, a prostituta interligam-se emblematicamente num universo imagístico sustentado pela imprecação violenta de um Eu que, sucessivas mutações metonímicas, conduzem à integração no coletivo, como acontece em "Patrão":

>(...)
>pergunta à tua casa quem fez cada bloco seu
>quem subiu aos andaimes,
>quem agora limpa e a põe tão bonita (...)
>(...) E o suor é meu
>a dor é minha
>o sacrifício é meu
>a terra é minha
>e meu é também o céu (...)

Estas características da poesia de Noémia de Sousa, a que muitas vezes se vem juntar um registo injuntivo, fazem dela uma escrita fixada na ação, em que o projeto de empenhamento é constantemente assumido. Para tal, contribui também a oposição insistente Eu-Nós vs Tu, Eu/Nós vs Vós, onde o estatuto de 'superioridade' do Eu/Nós se manifesta, sobrecarregado de uma emocionalidade que nos recorda (sempre) gestos literários do neorrealismo, concentrando, por isso, no texto uma força utópica que marca de maneira particular a sua poesia.

É por esta via que os poemas de Noémia de Sousa introduzem na poesia moçambicana um discurso simultaneamente lírico (no sentido que lhe atribui Paul Valéry de "desenvolvimento de uma exclamação") e épico, o que vai determinar o seu papel de vanguarda estética e justificar mais tarde a sua inclusão no discurso nacionalista africano moderno.

Na verdade creio ser este aspecto que explica o facto de, embora disseminados e não publicados em livro (ainda que a brochura mimeografada tenha circulado o que, em si, também é significativo) a poesia de Noémia de Sousa se tenha insinuado, como referência, no campo literário, configurado pela relação poesia/ação, instituída pela série ideológica. Com efeito, podemos verificar que Noémia de Sousa figura em praticamente todas as antologias de poesia africana de língua portuguesa, desde os anos cinquenta ou em traduções, vinda a lume – fora do espaço colonial –, antes da independência de Moçambique as quais, de forma direta ou indireta, projetavam elementos ideológicos da esfera dos nacionalismos africanos. Do mesmo modo, se percorrermos páginas/cadernos ou revistas literárias mais recentes, dentro e fora de Moçambique, encontraremos esses fios de memória a percorrer novos textos (poéticos ou não), ancorados na necessidade de dar expressão a variadas emoções.

Parafraseando Alberto de Lacerda[21], uma outra figura da 'República das Letras' [moçambicanas/portuguesas?], contemporâneo de Noémia de Sousa, "o poema além do prazer que dá (...) revela mais profundamente o homem e a vida, obriga-o a viajar, e de uma viagem volta-se sempre diferente", diria que há meio século estes poemas (finalmente reunidos) proporcionam a diversas camadas de leitores e de leitoras esse prazer ou essa viagem. Os regressos e as diferenças, que se operaram em cada leitura, estão indelevelmente inscritos nas formas como a partir delas – leituras –, se interrogam e des(constroem) representações, singulares ou coletivas da(s) realidade(s). E isso, estou convencida, (se afinal ela não chegou ao fim, como se anunciou) só a História poderá responder ou confirmar.

Maputo, setembro de 2001.

Notas e referências bibliográficas

1 Augusto dos Santos Abranches deixou o seu nome ligado à geração coimbrã do neorrealismo. Dirigiu em Coimbra a Livraria Portugália (que funcionou igualmente como editora) a qual se tornou, nos finais da década de 30, um espaço de convivência de escritores como Fernando Namora, João José Cochofel, Joaquim Namorado. E provável que tenha também tido atividade nos movimentos realistas Presença e Vértice. Por volta de 1943 ou 1944 veio para Moçambique, tendo-se empregado na Livraria Minerva Central de Lourenço Marques. Ainda em 1944 cria *Sulco* "Página de Artes e Letras do Notícias de Domingo para Gente Moça" de que saíram 16 números (2/7/44 a 4/3/45). Passou a orientar a revista *Itinerário* (1945/1955), na sua última fase, tendo também dirigido o semanário *Agora* (1948) mandado suprimir por ordem do governador-geral. É a Augusto dos Santos Abranches que se deve a divulgação em Moçambique de autores portugueses, brasileiros, cabo-verdianos e angolanos, cuja escrita se deixa impregnar pelas tendências modernistas. Foi um ativo dinamizador da atividade literária da geração que emergiu do pós-guerra em Moçambique, papel que Rui Knopfli assinala em crónica publicada depois do seu falecimento no jornal *A Voz de Moçambique* (25/5/63). Partiu para o Brasil em 1956 tendo falecido em São Paulo em 1963. Deixou publicados dois livros de poemas (*Poemas de hoje*, 1942), (*Tufão*, 1943) e uma peça de teatro (*As várias faces*, 1943) para além de uma assinalável produção ensaística dispersa na imprensa moçambicana, cujo estudo será um contributo para a história literária de Moçambique. Cf. Boletim Informativo BI 2a serie nº 9. Maputo: Serviços Culturais-Embaixada de Portugal, 1996.

2 Augusto dos Santos Abranches. "Moçambique lugar para a poesia" In: Teses apresentadas ao I Congresso realizado de 8 a 13 de Setembro de 1947. Lourenço Marques, Sociedade de estudos da Colónia de Moçambique, [1947] Cf. *Boletim Informativo* BI 2a serie nº 9. Maputo: Serviços Culturais-Embaixada de Portugal, 1996, p. 29-31.

3 Citado em Boletim Informativo BI 2a serie nº 9. Maputo: Serviços Culturais-Embaixada de Portugal, 1996, p.18.

4 Nelson Saúte. *Os habitantes da memória*. Lisboa.

5 Rui Knopfli. "Breve relance sobre a actividade literária". Facho, nº 30, (Lourenço Marques): Ed. Sonap, Set/Out, 1974.

6 "Canção fraterna" foi o primeiro poema que Noémia de Sousa publicou. As circunstâncias da sua publicação são relata-

das pela autora em entrevista a Michel Laban. Cf. Michel Laban. *Moçambique encontro com escritores*. Vol I. Porto: Fundação Eng. Antônio de Almeida, 1998, p. 236-346.

7   Em 1985, tive o privilégio de participar, com outros colegas da UEM, num Seminário intitulado *Ideologias da Libertação Nacional*, dirigido por Mário Pinto de Andrade, em Maputo. Nessa altura, fui alertada por Mário de Andrade para a existência de uma nota do Governo Geral de Moçambique em que o nome de Noémia de Sousa aparece associado aos de Ricardo Rangel, João Mendes e Rui Guedes como fazendo parte de uma "Comissão Central" que pretenderia criar uma "Organização Comunista Moçambicana". Quando a pude questionar diretamente, sobre este assunto, Noémia de Sousa deu-me a indicação, creio que por modéstia, de que Cassiano Caldas (que eu conhecia, através de Mário Barradas desde os finais dos anos 60) me poderia esclarecer melhor sobre todo este período. Gravei então uma longa entrevista com Cassiano Caldas em Maputo, que me forneceu detalhes importantes sobre a sua passagem pelo itinerário, a constituição do MUD em Moçambique, em que participara, das relações com o PCP, assim como do papel que Noémia desempenhara nessa altura. Mais tarde, forneci estas informações ao meu colega Pires Laranjeira que as recenseou em *Literaturas africanas de expressão portuguesa*, Lisboa: Universidade Aberta, 1995, p. 260. Em 1999, Dalila Cabrita Mateus publica *A luta pela independência. A formação das elites fundadores da FRELIMO, MPLA e PAIGC*, [Lisboa: Ed. Inquérito]. Trata-se de uma tese de mestrado circunstanciada que, para além de confirmar os dados de Mário de Andrade e Cassiano Caldas, reconstrói, a partir dos ficheiros da PIDE, a trajetória política, [aparente e injustificadamente esquecida] de Noémia de Sousa, com continuidade em Lisboa, assim como a de alguns dos protagonistas desse movimento, nomeadamente João Mendes [que reaparece na vida política e social de Moçambique, depois de 1975] e Sofia Pomba Guerra que vai reaparecer na Guiné--Bissau com ligações ao PAIGC.

8   Rui Knopfli. Op. cit. A poesia de Fonseca Amaral foi reunida e publicada postumamente. Cf. *Poemas por João Fonseca Amaral*. Lisboa: Imprensa Nacional-Casa da Moeda, 1999.

9   Ana Mafalda Leite. "Voz, origem, corpo, narração - poesia de Noémia de Sousa". In: *Oralidades e escritas nas literaturas africanas*. Lisboa: Ed. Colibri, 1998, p. 99-110.

10   Foi feita recentemente uma primeira sistematização da poesia de Virgílio de Lemos por Carmen Lucia Tindó Ribeiro Secco. Cf. Virgilio de Lemos & heterónimos. *Eroticus Moçambicanus - Breve antologia da poesia escrita em Moçambique*, (1944-1963). Rio de Janeiro: Nova Fronteira - UFRJ, 1999.

11   *Msaho. Folha de poesia*. (1) Lourenço Marques, 25/10/1952. A nota de abertura com o título apresentado é assinada por Virgílio de Lemos, principal dinamizador do projeto. Os desenhos do pintor João Ayres e a apresentação gráfica denotam as preocupações modernistas subjacentes a *Msaho*. Não deixa de ser interessante verificar que, 35 anos mais tarde, num contexto histórico e político completamente diferente, a mesma necessidade se manifesta com os cadernos literários *Xiphefo*, iniciativa de um grupo de professores/poetas de Inhambane, que se mantém desde 1987.

12   Cf. Mário de Andrade. Prefácio a *Cadernos de Poesia Negra de Expressão Portuguesa*. Lisboa: CEI, 1953; Manuel Ferreira. *Literaturas africanas de expressão portuguesa*. (2 vol.) Lisboa: Instituto de Cultura Portuguesa, 1977; *No reino de Caliban III*. Lisboa: Plátano, 1985; Alfredo Margarido. *Estudos sobre literaturas das nações africanas de língua portuguesa*. Lisboa: A Regra do Jogo, 1980; Fernando J.B. Martinho. "O negro norte-americano como modelo na busca de identidade para os poetas de África de língua portuguesa". In: *Les litteratures Africaines de langue portugaise - À la recherche de l'identité individuelle et nationale. Actes du colloque international*. Paris: Fondation Calouste Gulbenkian, Centre Culturel Portugais, 1985, p. 523-530; Gilberto Matusse. *A representação literária da identidade moçambicana: Craveirinha*. Scripta, 2° semestre, 1997, vol 1, n° 1, (PUC Minas), p. 15-195; Orlando Mendes. *Sobre literatura moçambicana*. Maputo: INLD, 1978; Fátima Mendonça. *Literatura moçambicana - a história e as escritas*. Maputo: Faculdade de Letras e Núcleo Editorial da Universidade Eduardo Mondlane, 1988; Francisco Noa. *Literatura moçambicana: Memória e conflito*. Maputo: Universidade Eduardo Mondlane, 1997; Manoel de Souza e Silva. *Do alheio ao próprio a poesia em Moçambique*. São Paulo: Editora da Universidade de São Paulo, 1996.

13   Cf. Pires Laranjeira. *A Negritude Africana de Língua Portuguesa*. Porto: Afrontamento, 1995.

14   O termo "black" é utilizado por Gates e por outros críticos afro-americanos, tendo como referência o contexto histórico dos Estados Unidos e a atual problemática do multiculturalismo e das minorias. As identidades "black", "chicana", "chinese american" ou "native american" representam, na óptica destes autores uma construção cultural – portanto histórica – extensiva a outras categorias sociais minoritárias como género ou orientação sexual. A sua aplicação ao caso moçambicano não é, por isso, pacífica, valendo apenas como homólogo de uma alteridade manifesta. Cf. Henry Louis Gates. In: *Black literature and literary theory*. New York: Methuen, 1984, p. 1-24.

15   Joaquim Namorado. *Incomodidade*. Atlântida: Coimbra, 1945. O poema "Manifesto" foi publicado [por Noémia de Sousa?] no jornal *O Brado Africano* em 03/02/1951, p.3.

16   Carlos Reis. *O discurso Ideológico do Neo-Realismo Português*. Coimbra: Livraria Almedina, 1983.

17   Op. cit. p. 40.

18   Op. cit. p. 59-60.

19   Pires Laranjeira. Op. cit. p. 486.

20   Esta questão foi tratada por mim num estudo mais desenvolvido intitulado "A literatura moçambicana em questão",

cuja primeira versão foi publicada na revista *Discursos*, Fev. 1995, nº 9, [Coimbra: Universidade Aberta], p. 37-54. Uma versão posterior foi publicada em *Taíra, Révue du Centre de Recherche d'Études Lusophones et Intertropicales*, 1997, nº 9, CRELIT, [Université Stendhal-Grenoble 3].

21 Cit. por Fernando J.B. Martinho. *Tendências dominantes da poesia portuguesa da década de 50*. Lisboa: Colibri, 1996, p. 108. O autor cita o ensaio de Alberto Lacerda intitulado "Lugar para a poesia", publicado no fascículo 1 de *Távola Redonda*, em Janeiro de 1950.

O LEGADO DO AMANHÃ *

NELSON SAÚTE
Escritor, editor e curador, foi jornalista e professor universitário.
É autor e organizador de obras de literatura moçambicana.

> Nelson: Procura ser um fiel servo da Memória de todos os tempos para que a tua voz se faça ouvir no teu tempo. E escuta com atenção o que te dizem as vozes de outras bocas, de outros mensageiros e as melodias de outros xipendanas. Então sentirás sobre os ombros o peso – o verdadeiro peso – de um genuíno legado, o legado do teu Amanhã em que dirás com toda a humildade: "Sou um homem de ontem mas não me neguem um lugar de repouso nos céus do vosso Hoje."
> Um maningue forte abraço do José Craveirinha, 3/7/1991, Lisboa (Boene).

José Craveirinha advertiu-me, ao longo dos anos, para o legado que resultava da minha devotada e assídua convivência com a sua geração. Muito jovem chegara à literatura e fazia do jornalismo uma espécie de viático para o sonho: ler e interpelar os fundadores da nossa literatura sobre a formação de Moçambique. Advindo do contexto da euforia revolucionária, onde avultava uma leitura histórica maniqueísta, queria ter o depoimento dos poetas, dos escritores, daqueles que estavam no retábulo da cultura. Rapidamente o texto construiu a ponte do afeto e daí resultou um verdadeiro encontro com a História: Noémia de Sousa, José Craveirinha, Orlando Mendes, Rui Knopfli, Fonseca Amaral, Rui Nogar, Aníbal Aleluia, entre tantos outros, só para citar aqueles que abandonaram o reino dos vivos. José Saramago, apercebendo-se desta relação privilegiada com os mais velhos, havia de me dizer um dia: "Você está a conviver com os seus antepassados literários."

Cultivei amizade com estes escritores, frequentei suas casas, atardei-me em conversas infinitas, guardei como pecúlio o que me disseram. De todos, Noémia de Sousa talvez tenha sido aquela por quem eu mais expressei o meu amor sem penitência. Tratava-a como "Mãe" e ela acolhia-me sempre com carinho maternal. Os olhos brilhavam quando abria a porta na casa de Algés, onde a visitava regularmente. Tenho por isso muitas lembranças queridas da Noémia. Caminhámos tantas vezes de mãos dadas, abraçados, íamos almoçar juntos, ou a casa dela,

---

* Prefácio da 2a. edição moçambicana de *Sangue negro*, de Noémia de Sousa, 2011 (Ed. Marimbique), revisto pelo autor Nelson Saúte, em junho de 2016, para a Editora Kapulana.

ou a um restaurante (Nortenha), que ficava perto, quando ela não podia cozinhar. Tínhamos longas e intensas conversas. Por vezes ela gravava. Confidenciava-me o desejo de intentar a ficção quando chegasse a reforma.

Ela trabalhava na agência Lusa. Muitas vezes eu lá ia visitá-la e era recebido pelos colegas com exultação. Eles admiravam-na e via-se a reverência que lhe concediam. Não só com a jornalista mais velha e experiente, mas com o mito vivo da literatura moçambicana. Descíamos da redação e ficávamos ali, no café, em baixo, perdidos na conversa e na lembrança da terra distante. Noémia nunca falava dela própria, falava antes dos outros, com uma inexcedível candura; relega-se para a sombra. Mesmo quando denunciávamos o peso da injustiça e da deslembrança.

Também viajámos juntos, algumas vezes. Recordo sobretudo uma viagem a Londres para um encontro organizado pelo Hélder Macedo, do Kings College. Noémia exclamaria para mim na Trafalgar Square: "Olha, a estátua do almirante Nelson!". Tinha um brilho insofismável no olhar. José Craveirinha ia na viagem. O Rui Knopfli tinha ido buscar-nos ao aeroporto. Recordo ainda a viagem, entre Lisboa e Maputo, em setembro de 1996, quando Noémia vinha para a homenagem dos seus 70 anos. Viemos juntos no avião de mãos dadas.

À margem de um congresso de escritores, em Lisboa, em 1989, tendo eu preferido a companhia dos mais velhos, em detrimento dos companheiros da geração mais jovem, recordo a surpresa e a pergunta da Noémia: por que razão é que eu gostava dos mais velhos? Por que razão eu me entregava com devoção à sua geração? Eu não poderia ser mais claro: queria saber o que havia acontecido – dizia-lhe –, como tinha sido a nossa história, queria conhecer o passado, na perspetiva de outras personagens. Intuía que a narrativa que reclamava a legitimidade histórica não estava cabalmente encetada, faltava-lhe algo.

Foi daí que nasceu, aliás, a ideia de escrever *Os habitantes da memória*. Lembro-me de que a entrevista com ela foi interrompida muitas vezes porque a Noémia chorava ao lembrar-se de factos, de pessoas, de situações, de Moçambique; chorava de emoção, de saudade, por estar longe, porque a vida assim o quisera: "Agora que estou velha o que é que vou fazer a Moçambique?" – perguntava-me. Sorria e chorava. Ajeitava o cabelo, naquele seu jeito, com as mãos trémulas e sorria.

Tenho lembranças demais da Noémia. Acompanhei como poucos os últimos anos da vida dela e nunca deixei de a persuadir a publicar o seu livro. Muitos haviam tentado antes. O saudoso Manuel Ferreira foi dos mais persistentes. Recusou a Michel Laban, seu grande amigo, falecido há poucos anos, como a tantos outros, igual pedido. Júlio Navarro, Gulamo Khan, Rui Nogar, Leite de Vasconcelos, tantos outros, também tentaram, sem sucesso.

A despeito, em 2001, perante a minha persistência, ela anuiu, finalmente, impondo apenas uma condição: que eu ficasse responsável pela edição e que contasse com a colaboração indispensável da Fátima Mendonça (que também tentara convencê-la e que a visitou até ao fim) e do Francisco Noa (outro amigo persistente), e que a edição fosse feita integralmente realizada em Moçambique, pela Associação dos Escritores Moçambicanos. Havia, sem o prejuízo desse ditame, a ideia de fazer uma coedição com a Imprensa Nacional Casa da Moeda em Lisboa. Mas tal ideia não avançou.

Assumi honrado esta tarefa, contando com o apoio e a amizade da Fátima Mendonça, do Francisco Noa e ainda do António Sopa. Tinha dito que contaria com o Sopa no projeto gráfico e ela deu pleno acordo. No dia 20 de Setembro de 2001, quando Noémia de Sousa fazia 75 anos, lançámos o livro, nos Paços do Concelho, do Município de Maputo. Pouca gente acorreu ao ato. Mas estávamos lá, os amigos, os familiares, os leitores devotados. Poucos, mas bons. Falei com ela nesse dia, antes do lançamento, com muita emoção. Do outro lado do Atlântico, ouvia-se já uma voz frágil, cansada.

Noémia de Sousa já estava muito doente. Ela não viveria muito mais. Passam agora 10 anos sobre aquela edição deste *Sangue Negro*. Acalentei ao longo destes anos que deveríamos reeditar esta importante obra, que continua a recolher interesse e entusiasmo, sobretudo dos jovens, tanto em Moçambique, como no estrangeiro. Aqui está. Mantemos integralmente a estrutura da edição anterior – ou seja a apresentação por mim feita, o corpus da obra que esteve praticamente cinquenta anos à espera de ser editado, ao qual se acrescentaram três poemas dispersos, os textos da Fátima Mendonça e do Francisco – mudando-lhe o grafismo que decorre de uma nova chancela. Os textos foram revisitados pelos autores, submetidos apenas a uma revisão. Pedi ao Miguel César que fizesse o desenho para a capa.

É pois com emoção que apresento este *Sangue Negro* de novo ao trânsito dos leitores. Eu tenho um ilimitado afeto pela Noémia de Sousa e acho que este é um dever de memória do qual jamais me poderia exonerar. Todos os anos, no dia 20 de setembro, sou interpelado por jovens que me pedem que vá falar da minha querida Noémia. E eu me repito, também com lágrimas, nesses eventos, recordando-a emocionadamente. Por eles e por todos os outros fazemos reviver esta belíssima e notável obra e não deixamos morrer Noémia de Sousa. E isso me comove até às lágrimas esta noite, enquanto redijo as breves e precárias palavras desta nota.

Há dias, encontrei a sua filha e minha mana Gina na rede, e fomos incapazes de superar a emoção desta empreitada. Ela concordou desde sempre com esta iniciativa e quero agradecer-lhe o facto de ter autorizado e apoiado esta edição. Como disse, Noémia de Sousa tem de mim e de muitos dos que a amam a nossa entrega incondicional. Lá onde está, estou certo, ela também chora de e com emoção por este reconhecimento espontâneo dos jovens da minha e de ulteriores gerações. Por mim e para além da minha devotada dedicação, assumo o legado imposto por esta convivência exemplar, quando, faz hoje justamente vinte anos, José Craveirinha me alertava para o facto num autógrafo debitado sobre o exemplar de um dos seus belos livros. Aqui estou, "fiel servo da Memória", penhorado sempre dessa honra que me nobilita. Para sempre.

Kampfumo, 3 de julho de 2011.

fontes	Gandhi Serif (Librerias Gandhi)
	Roboto (Christian Robertson)
	Lato (tyPoland Lukasz Dziedzic)
	Questa Grande (The Questa Project)
papel	Pólen Bold 90 g/m²
impressão	Maistype